案じるより団子汁

小林聡美

幻冬舎文庫

案じるより

団子汁

【案じるより団子汁】

クヨクヨ考えているより、
団子汁でも食ってるほうが美味しいし、
身体にいいということ。

はじめに

この本は、東京以外の地方で放送されていた私のラジオ番組『小林聡美の東京100発ガール！』を文章におこしたものである。

こういう本って、面白いんだろうか。

誰が読むのだろうか。

買う人いるのだろうか。

いいんだろうか、こんなんで。

そんなことばかり考えてしまう。

そもそも、私がラジオで喋《しゃべ》るということ自体、私の性質をおもいっきり無視していることであった。私は人前で話すのが苦手だ。おまけにラジオは人前でもなく、たったひとりで延々と喋り続けなくてはならないのだ。こっパズカしーっ。

それでも、ディレクターの遠藤さま（♀）、構成作家の政宗さん（♀）、おまけにうちの安藤ババ社長（♀）にそそのかされ、まんまとラジオ番組を持たされてしまったのである。

そして、弱気な私は番組が始まってからも、こういう番組って面白いんだろうか、誰が聴くのだろうか、喜ぶ人はいるんだろうか、などという不安にさいなまれ続けたものだ。

そんなシオシオの私にさらに粗塩をふりかけたのが、すごいコーナー名を次々と持ってきて、

「聡美ちゃん、これでいきましょー」

とうれしそうな遠藤さまの、このセンス。だって、

『パッと100発、あらまぁ、そう』

ですよ。

『案じるより団子汁』

ですよ。

まったく私のセンスと遠かった。何のことやらさっぱりわからなかった。おまけに効果音の凄まじいセンス。

口あんぐり、というか、腰砕け。

しかし、そのことをあからさまに口に出しても、ものともしない遠藤さまの謎の自信。そして、私が何を喋っても大喜びしてくれる政宗さんの笑い声。横槍をいれてジャマばかりしてくれた安藤ババ社長。どんなマイナーな曲でも必死になって探してくれたAD伊藤くん。その曲を「面白いっスよ」とほめてくれたTD渡辺くん。そんな力強いみんなのおかげで、自信のなかった私も、なんとか、番組を進めていくことができたのだった。

そうして、話しベタの私もラジオの雰囲気に慣れ始め、だんだんヘラヘラと調子に乗ってきた頃、突然この番組は終わりを告げた。

遠藤さまの勘違いで。

野球のナイター中継が始まるからだって。

遠藤さまも気がつかなかったらしい。

「いゃあ、なんか、来週でおしまいみたいで。私もびっくりですぅ！」

って、ディレクターだろうがあ！

そんなもんです。

だから、気楽に読んでもらえたらうれしいです。

放送中、番組にはがきやファックスを送ってくださったみなさん、どうもありがとうございました。本当にうれしかったです。番組にかかわってくれたスタッフのみなさん、そして、ゲストにおいでくださったみなさん、ありがとうございました。
なんか、本になっちゃいました。

一九九六年　夏　小林聡美

パッと100発、あらまあ、そう

歌のコーナー

案じるより団子汁

ゲストのコーナー

パッと100発、
あらまあ、そう

とにかく何が嫌だったって、このコーナーのはじめに、

「パッと1００発、あらまあ、そう〜」

と、欽ちゃん劇場ばりの叫び（ラジオの世界ではこれを、「鳴き」というらしい）を言わされた後、どこから持ってきたんだか、

「いよぉ〜っ（ポンポン）」

という歌舞伎のお囃子《はやし》みたいな合いの手が入ることだった。なにこれ。もう、それを聴く度《たび》に右肩がカクンとはずれて、一瞬白目をむいてしまったものだ。

しかし、どこまでもポジティブな遠藤さまは、そのリアクションを、私が喜んでいるものだと勘違いして、

「いいでしょう、これ、聡美ちゃん」

と、さも得意気にVサインである。

いきなりラジオの世界に投げ入れられた私は、このドメスティックな状況に戸惑いながら、それでも始まってしまったものだから、もう後には引けないってんで、とにかく喋ってみることにしたのであった。

実際に喋ってみると、目に見えない人たちに話すことって、これがまたぜんぜんない。たったの三十秒喋っただけで、もう話題がない。頭の中がしら～っと真っ白になって、あせったらあせっただけ早口になって、自分でもその速さについていけないくらいである。

「もう、来週からやめたい……やっぱ向いてない」

収録が終わると、帰りの道すがら、いつも泣きながらそう思ったものだ。泣いちゃいないか。

そもそも、このコーナーって、いったい何だったんですか。

「とにかく何でもいいですから、みなさんどんどんはがき書いて、送ってくださいよ〜ん」

なんて言っておきながら、自分でも、よくわからないままであった。

結局最後まで。

ねぇ、これって何だったの？　ねえ。

★ジョン・トラボルタ★

いや〜なんだか今日ＴＢＳに来たらですね、駐車場のオジさんに「小林さん？　小林幸子さんですよね？」とか言われて駐車券をもらってしまって……私は小林聡美です。小林幸子ではありません。小林幸子のものマネはできますけど。♪無理して飲んじゃぁ、いけないと〜、もういいって感じですか？　じゃあ、とりあえずタイトルを言わせていただきましょう。

『小林聡美の東京１００発ガール！』

さあ、とうとう始まってしまいましたが。ラジオということでですね、私、早口なもので「ゆっくり喋れ」と、今、ディレクターの遠藤さまから、さっそくご指示をいただいてしまいました。

そういうわけで、慣れないものでいろいろこれからも不適切な言葉遣い、表現など多々あると思いますが、温かい心、まなざしで見守ってください。

よろしくお願いしますでございます。

で、何を喋ろうかな？　ね？　ここで九十秒喋るんですよ。まずですね、私、ラジオって本当に初めてなんですけど、このブースのなかね、まず時計がついた謎のウォークマンのような、何だ？　これ？　シャープの時計があります。そして、斜め後ろには、非常用携帯ミニトイレがあるんです。なぜかここに非常用携帯ミニトイレ。ちょっと開けてみると、「オシッコが臭いもなくて数秒で固まる衛生トイレ」と書いてあります。なんでかな？　と思って遠藤さまに聞いたんですけど、どうも昔、このブースのなかで喋ってたアナウンサーの人が、このなかに閉じ込められて、にっちもさっちもいかなくなり、その時にトイレに行きたくて大変だったたっていう話があったそうなんですよ。そんなことがあってはいけないと、私のためにわざわざこれを……。ですから、この放送中に私がもし消えた場合は、そういうことなんだろうなというふうに、まあ大目に見ていただきたいと思います。

ということで、いろいろ大変ですが、今日は大目に見てください。

ええと、それにしてもラジオっていうのは本当になんか淋しいですね。ひとりで喋ってるんですよ、こうやって。ね。なんか、どうしましょうって感じなんです。

ラジオといえばですね、私、昔からあんまり聴かなかったんですよ。テレビもあんまり見ないんですけど、今でも。で、子供の頃、ラジオといえばあの、天地総子さんのテーマ曲でお馴染《なじ》みの、『こども電話相談室』をよく聴きましたね。それとかですね、『英会話入門』『ソロバン教室』……なんかNHKが多いですね。NHKのラジオ番組ばっかり聴いていたという感じなんです。深夜ラジオとかもあんまり聴いたことないし。今ではまあ、どちらかというと、こういうAMラジオよりもFMラジオをずっと流して聴いてるって感じなんですけども。こんな私にこんな番組務まるのかどうかっていう不安がありますねぇ。ええ、まあ、なんかね、こんなふうになってしまって、本当に……。

私ね、喋り上手に見られ……はしないか？　そうでもないけど、けっこうね、喋んないんですよ、普段あんまり。ボーッとしてね、なんか黙って人の話を聞いてばっかりなんです。ここでは、本当、喋る相手も、政宗さんっていう構成作家の方が前にいらっしゃるだけで。なんか淋しいなぁ。淋しいよ、みんな。助けてくれ！

気をとりなおしまして、いろいろコーナーがあるんですよ、この番組も。ラジオの三十分番組ということでですね。で、いいですか？　コーナー進めていきます。このコーナーはとりあえず〝パッと１００発、あらまあ、そう〟。ということなんですけど。これ……これ、なんなんですか？　これ。あの、スタッフの方が考えたらしいんですけどもね、このタイトル。なんかね、この、〝パッと１００発、あらまあ、そう〟。どういうイメージでしょうね？　このタイトルから浮かぶものとしては……。なんか、とりあえず何やってもいいって言われてるんです。

今回は一回目なので、私の自己紹介、自己分析などというようなことを話しましょうか。

私、昭和四十年、五月二十四日生まれ、双子座、AB型。そしておまけに巳年ときておりますす。人には二重人格だのなんだのと言われていますけれども。

血液型とか星座の話っていうのは、よくすることですけれど、さっきも言ったように人から見られるイメージっていうのがですね、このように喋り続ける、「お喋りなオトンピーの陽気な聡美ちゃん」……もう三十歳になりましたけど。そんなイメージでずっときてるんですけど、普段の私は喋らないですよね？　社長。喋らないんですよ。そこに座ってる社長がうなずいてます。あの、もっぱらもう、社長がずっと喋ってるんで、私はなんにも喋らなくていいという。まあ、女優さんの仕事は台詞《せりふ》がありますから、それを喋っていればいいわけなんです。でも、ラジオというものは本当にもう、とりあえず簡単な進行がターッと紙に書いてあるだけで、あとは私が喋んなきゃいけないらしいんですよ。こういう状況なんですよ。本当に恐ろしいことしますよね、TBSラジオも。まあ、そういうわけで、普段の私はとってもおとなしいんですよ。…………………こういうふうに。あんまり喋んないんです。

あとは何が聞きたいかなぁ？　好きな男性のタイプ、ジョン・トラボルタ、スティーブ・マーチン。

あのね、これ、ずっと隠してたんですよ、私。ジョン・トラボルタが好きだっていうの。でね、最初の出会いは『グリース』ですよね、ジョン・トラボルタの。あれ、カッコよかったですよね？　ダメ？　あ、政宗さんうなずいてる、あれ？　ダメ？　カッコよかったんですよ。それで、ずっと「うぇ、気持ち悪《わり》ぃ、あの胸毛男」とか「あご割れ男」とか、友人たちにさんざん言われて、ちょっと恥ずかしいと思ってて。ジョン・トラボルタの写真入りの筆箱はこっそり持ってたけど、内緒にしてたんですよね。でもあの、ある日突然、彼は胸毛がなくなり……。あれはなんででしょう？　『ステイン・アライブ』あたりから胸毛がなくなり、なんかツルツルしちゃってるんですけど。あれが謎ですけどね。でも、最近は『パルプ・フィクション』でカムバックしてね。なかなか評判も良くて、隠れファンとしてはうれしい限りなんです。まあ、そういう感じでね、スティーブ・マーチンとジョン・トラボルタは私の理想のタイプっていうんですかね。

ジョン・トラボルタのどこがいいのか？　って思われる人もいるでしょうが、それはなんといっても、あのつぶらな瞳でしょ。あの可愛らしいブルーの澄んだ瞳。そして割れたあご。べつにマッチョが好きって、そういうわけじゃないんですよ。ね。マッチョはちょっとね。無駄に筋肉をつけるのもどうかな？　という感じなんで。まあ、でも、ジョン・トラボルタの話ばっかりして申し訳ないですけど、彼は、胸毛もなくなり、筋肉もなくなり、最近いい感じで歳《とし》とってきたなって。いつまでも見守っていたいと思います。でもね、みなさん。私がジョン・トラボルタを好きだっていうことは内緒にしといてくださいよ。ひとつお願いしますよ。スティーブ・マーチンはまあいいけど、ジョン・トラボルタだけは内緒にしといて。

★バブルラップ★

何でもやるというこのコーナーなんですが、とりあえず今日は何をやるかというと、これなんです。これ、何かわかります？　このプチプチいう音。これですよ、このプチプチ。プチプチって知ってます？　お皿とか買った時、割れないように包むやつ。これってみなさん、けっこう昔、暇な昼下がりにつぶしませんでしたか？　わけもなく。これはね、意外にね、みんな名称を知らないんですよね。知ってます？　安藤社長。知らないですよね。昭和二十六年生まれだもんね。政宗さんも知らないでしょ？　私ね、これ、知ってたんですよ。

「小林さん、今日はこのプチプチでいきたいと思うんですけど」って遠藤さまに言われて、「あ、あれでしょ？　バブルラップ」。

そう、「バブルラップ」っていうんですよ、これ。ね。エアシートだと思ってたっていう人もいるしね、あとエアパッキンともいうらしいんですけど。イングリッシュ発音では「バブルラップ〔bʌ́blræp〕」。

なぜ私がこれの名称を知ったかといいますとですね、前に海外に旅行した時のことなんですよ。たぶんニューヨークかな？　ハワイかな？　英語圏なんですけど。そこでですね、アンティーク屋さんに入ってですね、一人用のティーポット、五〇年代ぐらいの、すごく可愛い綺麗《きれい》な色の一人用のティーポットが何個かあって、それを買い占めたんです、私。で、それを包む時にオジさんが「バブルラップ？　バブルラップ？」とか言ってて。私は「え？　バブルラップって何のことかしら？　ああ、バブルラップ。ラップ、包み、おお、包み。なるほど、これはバブルラップっていうのね」と思って、心のなかに留《とど》めておいたんです。

けっこう私、海外に行くとどうしょうもないもの買っちゃうんですよ。例えばね、メキシコに行った時も、アルミの、もうさわったら手が切れそうなぐらいの、サボテンの形をした、なんていうんですか？　ロウソク立てなのかな？　そういうのがあって、色は塗ってあって、アルミでできてるんですよ。で、その裏にロウソクを立てて、サボテンのシルエットっていうか、こう、影かなんかを楽しむっていうね。なんかわけのわかんない、大きいの。そういうの買っちゃったりとかね。そういう時もね、バブルラップだったかな？　ね？　バブルラップ？　あれ、新聞紙だったか、ありゃあ。新聞紙か、メキシコは。まあ、そういうね、重くてね、かさばるものばっかいっぱい買っちゃうんですよね。このバブルラップの名前を初めて知った時もそうでしたけど。

このバブルラップの名前を知ってるっていうのは、なかなか自慢できることなんじゃないですかね？　これ。『平成教育委員会』とかで問題出たら私、けっこう正解って感じ。そんなことはどうでもいいですか。はい。

最近ではですね、このバブルラップもブルーとかピンクとかいうのがあるらしく、一メートル四方、二百五十円くらいで売ってるらしいですよ。でもね、こんなの色つけてもねぇ、どうすんでしょう？　でも、これ発明した人は偉いですよね。こういうものをなんで発明したんでしょうか？　あと、発泡スチロールでできたS字形の詰め物とかって知ってます？　知らないよね。そういうのも偉いなってちょっと思ったんです、それ発明した人もね。

　まあ、こういうふうに今日はですね、私の意外に博識なところを、ちょっとみなさんに知らしめてしまったわけでした。

★ふしぎなメルモ★

今聴いていただきましたこの曲は、『幸せを運ぶメルモ』ということですね、アニメ『ふしぎなメルモ』のエンディングテーマだそうなんですけど。ね、言われてみりゃあ「ああ、そうそう。こういう曲だった」っていう感じですよね。

私なんかの記憶のなかのメルモちゃんというとですね、やっぱりオープニングにかかる最初の♪メルモちゃん、タタ、メルモちゃん、タタ、メルモちゃんが持ってる〜って感じですよね。で、なぜディレクターの遠藤さまがこのエンディングテーマのほうを選曲したかというのがここに書いてありますので、読ませていただきましょう。

「主題歌の『ふしぎなメルモちゃん』はメジャーだったけど、元気でテンポある♪メルモちゃん、メルモちゃん〜よりも、エンディングテーマのアンニユイでちょっともの悲しいメロディが、子供ながらもちょっぴりおませだった私の心を揺さぶった」

なんだ？　遠藤、すごいね、遠藤さま。本当にすごい。これはオンエアは一九七一年か七二年だったそうですが。二十四年前といえば遠藤さま、当時八歳。それで「アンニュイでちょっともの悲しいメロディが、子供ながらもちょっぴりおませだった私の心を揺さぶった」？　すごいですね。私は当時六歳でしたね。アンニュイでもなんでもなかったですねえ。これね、ソノシートがあるんですよ、ここに。これ、すごいですよ。この『ふしぎなメルモ』。「ステレオ、朝日ソノラマ」って書いてありますけど。

このメルモちゃんっていうのは、手塚治虫さんが子供たちのために性教育のための漫画を描こうってことで、描いたらしいんですね。手塚治虫さんっていうと、今はもう、なんてったって大先生ですよね。でも、この絵本つきのソノシートをちょっとね、パラパラ読んでみたら、すごい話ですよね、これ。手塚治虫先生が描いたとは思えないような、すごいアバウトな話で。

でね、私は知らなかったんですけど、メルモちゃんのキャンディって、なんのためにあるか知ってました？　あのね、この絵本をパッと開くとね、いちばん最初に登場人物が書いてあるんです。トトオ「弟です。とってもいたずらっ子」、タッチ「赤ちゃんのタッチ」、メルモのママ「交通事故で死んじゃったの」っていうふうに。

この赤ちゃんのタッチを残して死ぬのがあまりにも可哀想だから、メルモちゃんのお母さんが天国で「子供たちのために何かおくんなまし」って、天国の人に言ったんですよね。それで、お母さんがやってきて、メルモちゃんに「これは、青いのを食べると大きくなり、赤いのは小さくなるキャンディよ」と言って、キャンディを渡して去っていくんですよ。つまり、赤ちゃんを淋しがらせないために、メルモちゃんが大人になれるように、このキャンディを、お母さんがくれたというわけなんです。

これ、すごい話ですよね。このソノシートについてる話だとね、赤ちゃんがちっちゃくなる赤いキャンディを食べちゃって、卵になっちゃうんですよ。

すごいの、細胞分裂してないの。真ん丸なの。それで、メルモちゃんはお利口だからね、考えて、コップのお水にこの青いキャンディを溶かすんですよ。青いのを食べると大きくなるから、青いのを溶かして。そうするとね、その丸い卵がね、細胞分裂してね、何本も筋が入ってね、コップのなかで胎児になってね、それで赤ちゃんに戻るの。怖ーい！　この話。すごい話ですよね。いや、でも、これは本当に面白かったですよ。

このソノシートね、当時で四百円なんですよ。高いですね。高くないっていう人もいるんだけど。お金持ちだったんじゃないの？　あんたたち。「うん、うん」って遠藤さま言ってるけど。私、これ高いと思いますよ。子供の頃はシングルレコードでね、三百八十円とか、もっと？　五百円か、五百円だよね、たしか。その前が三百いくらだったんだもんね。そう、それでこれソノシートで四百円なんですもん、これ、高いですよ。でもこれ、手塚マニアはもう泣いて喜びますよ。今ではもう四万円くらいの値がついてるんじゃないかっていう代物《しろもの》です。

でも、この歌、ちょっと歌い方があれですよね、まあ、確かにアンニュイっていう感じで……。なんか『高校教師』のテーマソングの♪はにゃへー、はにゃへー、はにゃへー～っていう歌い方に似てますよね。あと、今気がついたんですけど、♪黙って放っておかれない、おかれない～っていうとこは♪お金ない、お金ない～に聞こえますね。これ。空耳アワーって感じですかね？

★早口★

さあ、おはがきが来ています。読みましょうね。三重県、ペンネーム能天気さん。

「聡美さん、もうビックリ！　ラジオ初めてなの？　早いよ、早いよ。本当、早口よ。もう番組名がはじめからわかんないんだよ。そこでお願い。早口言葉やって。お茶のテレビＣＭでやってるのも、ものすごい早い、かつ面白い」

ありがとうございます。私、本当、早口かなぁ？　なんでこんな早口なんだろうね？　周りの人が早口なのかなぁ？

で、確かによく早口って言われるんですけど、やっぱり早口っていうのは私自身のキャラクターをもボカしてしまうような、怪しいものになりかねないので、もう三十歳も過ぎたことだし、今日はちょっとゆっくり喋ろうかな。そうするとゆっくり喋ってるうちに、アッという間に番組も終わってしまって、私もとても……楽チンかもしれない！
ちょっとゆっくり喋ってみましょうね。さあ、次のおはがきにいってみましょう。愛知県のスズキさん。

「小林さん、こんばんは。初めて聴いて、生意気なヤツ。四十五歳のオバさんは頭プッツンしながら、でも、面白いキャラクター、ちょっぴり楽しいぞ……と思いました。これからはもっともっと、過激で刺激のある楽しい放送を待ってます。オバさんは途中で切ろうと思ったけど、最後まで聴いてしまった」

オバさん、最後まで聴いてしまって、どうもありがとうございました。私ね、本当はぜんぜん生意気じゃないですよ。こんなに腰の低い女優も、もたいまさこさんの次ぐらいだろうっていうぐらいでね。「シャコタン女優」と呼ばれて、もうはや何年て感じなんですけれども。

そんな、四十代のオバさんも聴いてくださってるんだったら、言ってくださいよ！　最初から。だったらもう、ちゃんとやるぜぃ！　オバはん。ちゃんとよぉ。頼むよぉ。

さあ、そんな感じで、知らないうちにまた早口になってしまいそうではあ

りますが、はがきを読ませていただいた方には、ＴＢＳのほうからですね、

インチキゴールドテレカと、私のほうから直筆の迷惑ファックスを送りつけ

させていただきます。スズキ様、四十代のスズキ様、送らせていただきます。

私の丁寧なファックスを。

さあ、みんな、私の早口に今日はどうかな？　ついてきてる？　みんな、

いつも私ばっかり先走って、淋しい思いをさせてごめんなさい。

さあ、お約束どおりにね、ファックスを書きましょうかね。この「早口言

葉やって」っていう、三重県の能天気さんには早口言葉を書いてあげましょ

う。「生麦生米生卵」。私ね、昔、書道習ってたんですよ。それでこの字よ。

もう本当、「サインしてください」とか言われるとすごい嫌だよね。特に

「ナントカさんへ」って書かなきゃいけないのがね。

さあ、次にいってみましょうか。私のことを生意気なクソガキと言ったこ

のオバサマ、スズキさん。「鈴木様。改心します。これからもよろしくお願いします」

でもこれ、あれだよね、字がヘタクソでまたお咎《とが》めを受けそうだよね。

これ、喋りながら書くのって、とっても難しいよ。「小林聡美」さあ、こんな感じでいいかな？　よろしいですか？　ヨイショっと。ま、こんな感じでね。私は書きましたよ、ファックス。

送るからね、みんな。字が下手でも許してね。私、本当にね、本当にね、習字はウマいんだよ。言い訳じゃないけど。ペン字は下手なの。そういう人よくいるけど。ごめんなさーい。スズキさん、特にその四十代のスズキさん。すいません、よろしく。安藤社長、何をうんざりしてるの？　字が下手だから？　でもちょっとこれ、本当にひどいかもしんない。これ、後で清書したほうがいいよね？　ダメ？　書道二段て、書いとこう。あ、「書道二書」になっちゃった。ダメダメ、ちょっとこれ、やり直しー。

♪ラ、ラ、ラー〜。えぇっと、ちゃんと書いてますよ、「書道二段」。

さあ、書きました。日付はいいんですね、これでね。みんな、書道二段の私のこの素敵なファックスが欲しい方、どんどん手紙ちょうだい。なんだかインチキくさいけど。

★節約上手★

「子づくり宣言をした小林聡美さん」

誰が。いつ。

「こんばんは、元気でやってますか？　ズバリ、お金の上手な節約方法を教えてくださぃ。私は高校生なのですが、親からは月々一万円のお小遣いをもらっています」

ええっ、月々一万円だって。これ、もらってるほうだよねぇ？　お金持ちだねぇ、あんた月々一万円はすごいですよ、これ。

「お小遣いで一万円というのは、高いと思うでしょうけれども、時間の都合によりバイトはダメ。しかも、一月に行く家族旅行での自分の買い物代や、卒業後のために少しは貯金しなければならないのです」

どういうこと？　これ。家族旅行での自分の買い物代？　どこへ行くのかしら？　また、シャレて海外とか行くんじゃないの？　あんた。家族でハワイとか。そりゃ自分で買わなきゃダメよ、いろいろ。だって、連れてってもらうって、それだけでも大変よ。ひとりだって二十万円とかするでしょ？お正月だったらもっと高いかもしれないし。ちょっと早口だったかしら？熱くなっちゃったわ、私。ダメよ。そのぐらい自分で出して当然よ。旅行費だけでも、飛行機代だって往復何十万もかかるんだから。自分の買い物ぐらい自分でしなさい、と。

「卒業後のために少しは貯金しなければならない」って？　高校生だよね？この人ね。卒業後なに？　ひとり暮らしとか？　あとはＯＬになるための服？　卒業後のために、少しは洋服とか買わないといけないってことかしら？

「とりあえず今は、毎日のお昼代の五百円を半分に止めるようにして、ためてます」

お昼代五百円？　そんなんで食べれる？　なに食べられる？　五百円で。

牛丼？……あ、学食ね。学食だったら三百八十円とか、そんなもんだもんね。

で、続き。

「節約上手の小林さん、教えてください」

……なんで私が節約上手？　いつの間に？　まあ、私、節約上手なんていつからそうなったのかしら？

そうね、節約してると言えるとすれば、お風呂の水かなぁ？　お風呂の水ってさ、あれって追い焚《だ》きできないお風呂ってすごくもったいなくないですか？　あれ。

一度ね、シャワーだけ使ってた夏から、冬になった時に毎日お湯を溜めて入ってたら、水道のメーターが異常に上がってたらしくって、水道屋のオバさんがすごいビックリして。なんか、ピンポーンとかいってやってきて、

「あの、なんか、お家でなんか変わったことありませんでした？」

って聞かれたんですよ。

「出産とかなさいました？」とか「お子さんとかできました？」

とかなんか聞かれて、私、

「え？　それは……」

とか言って唖《あ》然《ぜん》としてしまいましたね。そしたら、そのオバさんが、

「メーターが、水道代がすごく上がってるんで、ここのところ」

とかって、いろいろね、家庭の事情までいろいろ突っ込まれましたけどもね。水道代ってなかなか、馬鹿にならないものなんですよね。

で、たまたまウチ、洗濯機のあるところがお風呂場の横なので、お風呂のお湯とかもったいないなと思って、それで洗濯する時は、気がついた時にはバケツで「だあーっ!!」とかやってますけど。あの松坂慶子さんが宣伝してる「私、お風呂のお湯を抜いている」っていうの、あれなかなかね、いいですけど。でもあれ、お風呂と洗濯機が遠くに離れてる時って困っちゃいますよね。私、今度の新しい家、洗濯機がすごい遠くなんですよ、お風呂場と。お風呂のお湯、どうしようと思ったけど、まあいいわよ、そのぐらい。私はいいのよ、そんなこと心配しなくても。フンッ。まあ、節約っていったらそ

のぐらいですね。

でも、お金っていうのは、高校生の時とかっていうのは、私の場合はバイトはしてなかったけど、まあでもね、お小遣いいくらもらってたかな？　もらってなかったかな？　その時やってたからなぁ、仕事。　そう、でもね、一万円……どうする？　これ。でも、毎日のお昼代節約して浮かしても、限度があるでしょ。洋服買えないよね？　ね。

★幻のエッセイ感想★

「聡美さん、こんばんは。そろそろ」

あ、こういうのって、最初にペンネーム読んだほうがいいんですか？　ペンネーム、あ、ないです。青森県。あ、この方、このあいだもおはがきくださいました。どうもありがとうございます。タカマツさん。

「聡美さん、こんばんは。そろそろ顔馴染《なじ》みになってきたでしょうか？」

私、あんたの顔知らない。

「聡美さんがこの前ラジオで『本の感想が欲しい』と言ったので、言おうと思います。私は幻のエッセイを二冊持っています」

二冊も持ってるんですか!?　ほんまかいな？　まあ、どうもありがとうございます。

「メキシコの話のほうは、よくわかりませんでしたが、その悲惨さは伝わってきました。この本は、本当に幻の本かもしれません。私が買った日以外は、書店で見かけたことはありません」

悪かったよ。本当にこれ、幻の本なんですよ。ね。ぜんぜん宣伝しなかったもんね。ちなみに『ほげらばり』という本です。とりあえず、本屋に取り寄せてもらって、それで万引きしてください。嘘です。嘘ですよぉ、おまわりさん。怒んないでくださいよぉ。

それで、なんだっけ？　そうそう。メキシコのほうはね、そう、すごいんです。大変だったんです。続きを読みます。

「『凜々乙女』のほうは、カバーがすごく可愛くて、思わず買ってしまいました」

可愛いでしょ。

「話のなかで学ぶものはありませんが」

はい。

「内容は身近で楽しいです。試験中の時なんかはストレスが少しは取れそうな気がします」

ありがたいですね。

「次の本も私はたぶん、買うだろうと思います」

たぶんじゃなくて、これ、買ってもらわなきゃ困るよ。このおはがき、読んでるんだからね、あなた。本当に。

「ちなみに、私は、もたいまさこさんの本も書店で見かけました。もたいさんは日々を楽しく送っていることでしょうか？」

あなた、知り合い？

「それだけが心配です」

だって。心配してくださってますね。どうもありがとうございます。もたいさんは日々を楽しく送ってるらしいですよ。なんかね、カボチャ煮たりとかしてね。近所にいろいろ配ってるらしいですけど。そんなもたいさんのカボチャが欲しい方も、こちらのほうにお便りをください。抽選で二名の方にもたいさんの煮たカボチャをクール宅急便でお届けしたいと思います。

★ゴジラ女優、小林恥美★

♪もろびと〜こぞ〜り〜て、主は来ませり〜。世間はクリスマスで浮かれ気分。ひとりで過ごす人……可哀想ねぇ。世間はクリスマスということで、みなさんいかがお過ごしでしょうか？　それにしても私、なんでこんなに働いてるのよ？　え？　社長？　ちょっとなんとかしてよ！

でも、頑張ります。みんな、ひとりで淋しくても、私の放送を聴いて楽しんでね。

ああ、なんか世間はクリスマスっていう感じですね。リスナーのみなさんの住むところにはないのかもしれないけど、東京の表参道や渋谷の公園通りは、もう、眩《まぶ》しいイルミネーションがいっぱいで、まさに恋人たちの夜って感じなんですよ。働く女って、可哀想。さあ、みなさん合掌。南無妙法蓮華経〜。

さあ、クリスマスだろうと何だろうと、もう関係なく進めていきましょうね。ファックスを読みましょう。

「聡美さん、こんにちは。初めてお便り出します。いつも仕事で聴けなくて、この度、失業のため、めでたく聴けることになりました。ハッピーです。これから毎週聴きますね。ところで今、私はあの『やっぱり猫が好き』シリーズを見まくってます」

古いねぇ。遅すぎるよ、あなた。

「聡美さん、この番組、再開しないんですか？　友人も見たいと言っています。私もすごく見たい。教えてくださいね。では、バイバイ。ＰＳ、聡美さんて、『転校生』の頃から顔が変わってませんね。可愛い」

どうもありがとう。テレビドラマで今、『Ｍｉｓｓダイヤモンド』出てますんで、見てくださいね。

え？　もう『Ｍｉｓｓダイヤモンド』の放送は終わってる？　だって今日、十二月二十三日だよ。あ、もうオンエア終わってるんだって。

そうなのよ。本当は十話撮るはずだったのに、九話で終わっちゃったのね、あれね。幻のテレビ番組、失礼しました。

最終回、見てくれたかしら？　どうだったかしら？　でも、あれ、なんで九話で終わっちゃったの？　視聴率悪かったから？　そういえば平均視聴率が八パーセントでしたからねぇ。すごいですよねえ。最後まで見てくれた方、どうもありがとうございました。

さあ、次のおはがきいってみましょう。

「『東京100発ガール！』の小林聡美様」

あ、これ、私の字、間違ってると思わない？　これ、本当に腹立つんだよ。聡美の聡の字。よくいるのよね。私の名前って、「耳」書いて、その隣に「公」の下に「心」でしょ。この人はね、「耳」書いてその横に「公」を並べて書いてそのふたつの字の下に「心」がついてるんですよ。だから、「『耳公』かんむり」の下に心がついてるって感じ。

たまにいるんですよね。あと、「恥美」って書く人もいますよね。

私が昔出た映画に、『ゴジラVSモスラ』っていうのがあるんです。いちおう私もゴジラ女優なんですよ。驚きですねえ。それのレンタルビデオがね……、近くにレンタルビデオ屋さんがあったらちょっとチェックしてほしいんですけど、私の名前、「小林恥美」になってるんですよ。で、それを発見した東宝ビデオの人がビビってね、

「いやぁ、もう、全部回収してシール貼り直しますから」

とか言って。そんなことするわけないんですよ、本当に。

「小林恥美」のまま、「ゴジラ女優、小林恥美」で出ておりますんで、チェックしてください。

「小林聡美様、はじめまして。この度、この番組の存在を初めて知りました。テレビの『Miss ダイヤモンド』も見ています」

ありがとうございます。……なんで私、ここで笑ってしまうんでしょうか？

「今まで小林聡美様は女優さんだから、ドタバタふうハプニング役とかの時

はその都度《つど》イメージ作りをして、ペラペラ早口になっているのかなぁとは思っていたけれど、そのままの方だったんですねぇ、と発見しました。パーッと周りを明るくしてくれる存在感が非行防止に役立ちそうだから、一家に一台という感じで、どの家庭にも切り売りして世の中をクリーンなイメージに変えてほしいです」

そう？　私ってクリーンなイメージ？　え？　違う？

本当にありがとうございますですね。まあ、非行防止……。私ってやっぱりクリーンなイメージかしら？　どう？　クリーンなイメージでしょ？

まあ、一応、私もクリーンなイメージで、これからは一日警察署長とか、郵便局の一日所長……郵便局は一日所長じゃないんだよ。郵便屋さんの一日局長とかね。そういうのをやってみたらどうでしょうか？　営業で。

嫌だよ、営業。クリスマスにも働いてるっつうのに。

★うるさいガキ★

「ペンネーム、鯖《さば》の缶詰」

なんじゃ？　こりゃ。

「聡美さんハロー！　私、ただ今十六歳。十六ですよぉ！」

なに威張ってんだ？

「だのに、隣の小四のガキに『ババァ』と言われました。このムカつくガキに、早口でお叱りの言葉を浴びせかけてください」

本当にガキ、ムカつくんだよ！　最近。私もこのあいださ、スーパーマーケットでさ、迷子の子供、怒鳴りつけちゃった。可哀想だと思ったけど。

だってさ、泣いてないんだよ。泣いてないんだけどね、泣き声でね、「お母さん」とか言ってんの。最初はね、か細い声で心細い感じで言ってたんだけどね、だんだん、だんだんだん声がすんごいでっかくなってってね。周りの大人もぜんぜん「どうしたの?」と言ってあげないのもあれなんだけどさ。私も今考えれば言ってあげればよかったんだけどさ、あまりにうるさいからさ、ちゃんと子供の腕をつかんで、

「あんた、うるさいよ!」

とか言ったらシーンとしちゃって。もう、泣く間もなく、子供、黙り込んでしまいました。お母さんに会えずに、きっとそのへんで危ない子供になってるかもしれませんね。

小四のガキに「ババァ」って言われてあんた、黙ってることはないよ。反撃しなさい、反撃。頼むよ!

「ファックスはいらないんで、テレカください」だって。

「だって、ファックス代がもったいないし、聡美さんの直筆なんてもったいないです。早口でこのガキにお叱りの言葉を」

なんて言えばいいの? 早口で。

「あんたね、いい加減にしなさいよ! 本当にね。十六歳なんてまだババァ

じゃないんだ、私なんか三十なんだから！」
ハァーッ、こんな感じ？

★スタッフの感想文★

私、『東京１００発ガール』という本を出したんですけど、今日はこの番組のスタッフが書いた感想文を発表します。

じゃあちょっと、まずＡＤの伊藤。

「『東京１００発ガール』を読んで。ＡＤ伊藤。涙、涙、涙。一行ごとに涙がこぼれます。まるで小林幸子の『恋蛍』を聴いているようです」

とは書いてませんけど。

「そのなかでもいちばん感動したのは、ハズ三谷さんとの出会いの場面。じつはこんな話があったんですね」

へぇー。あんたいいねぇ、いいよ。思わず読みたくなるねぇ。そうでしょ？　でも、じつは伊藤は読んでないんだって、この本。こんなこと書いてねぇもーん。でも、本当にこういうの書いてたら読みたくなるかね。

「こんな感想しか書けなくてごめんなさい。伊藤は時間のかかる子です。どうか長い目で見守ってください。なんか聞いたことのある台詞だなぁ」

というふうに締めてありますけど。なんで？　読む時間ないの？　伊藤君。そうだよね。だってね、いつもいないもんね、現場に。忙しくて。今日はなんか、お詫《わ》びとして広島のお菓子を持ってきてくれたけどさ、頼むよ、伊藤君。本は持ってるんでしょ？　持ってないの？　はい、投げるよ、エイッ！　すぐチャッチャッと読めますから。

さあ、次。遠藤さま。

「小林聡美の『東京100発ガール』を読んで。陽気で謎の美人ディレクター」

陽気で謎の美人ディレクター？　美人のところにね、なんか線が二本引いてありますねぇ。

「遠藤宏美。このエッセイを読んでの第一の感想は、三十二歳・独身の、私のライフスタイルは、まさに『仕事のできるいい女』の代表であると、改めて実感したことです」

どういうこと？

「エッセイのなかの、聡美ちゃんの生活や考えには、自分と共通したところが多く」

ええー？　本当ー？　やだー。遠藤さまと？

「思わず『うん、うん』とうなずきながら読んでいました。ただひとつ、決定的な違いは、聡美さんがマダムとなられたこと。それも、私も愛そうとしていた脚本家の三谷幸喜さんを」

なに？　これ。遠藤さま、本当に「奪われた」とか言うんですよ、私に。べつに遠藤さまから奪った覚えはありませんけどね。

「ショックでした。運命の女神様は、なぜ聡美さんに微笑《ほほえ》んだのでしょう？旦那様には、『遠藤はいつまでも待っております』とお伝えください」

伝えないよ、そんなこと。

「ところで第一章〝花ドロボー〟の誕生日の彼とは、三谷幸喜さんのことなのでしょうか？」

ひ・み・つ。

「そして、最後に文句が一個あります。それは〝エステティックサロン〟の章。私は目の下の隈《くま》がひどく、付き合っている彼に『おい、なんとかしろよ、宏美』と、つねづね言われ、エステに足を踏み込もうかどうか迷っていました」

えーっ？　本当にこんなこと言うの？　ひどいねぇ。言ってやればいいのに「あんたも腹出てる」って。どんな人か知らないけどさあ。もう、本当ですよ。

「それを決意させたのは、〝エステ〟百五ページの最後の二行。おかげで千円のお試しコースのつもりが、三万円のエステチケットを買うはめに……。みんな聡美さんのエッセイのせいです」

だって。ウマいですねぇ。なかなかエッセイふうにまとまった、さすが遠藤さま、素晴らしいって感じで。

おお？　すごい！　次は遠藤さまの会社のテレコムサウンズ、大里部長。この人、ぜんぜん部長じゃないんですけど。歳はね、私より若いんです。二十六だっけ？　八？　あ、ごめんなさい部長。若いとか言っちゃった。三十一歳なのにね。そうそう、遠藤さまの部下なのにいちばん偉そうだったんだよね、このあいだお会いしたら。だから部長って呼んでるの。

「『東京100発ガール』小林聡美、幻冬舎。楽しく読ませてもらいました。一章一章が短く」

だって、書けないんだもん、短くしか。

「電車などで読むのに最適って感じで、こういう本は大好き。本は気軽がいちばん」

本当ですよ。私も自分があんまり本読まないからね。こんなこと言っていいのかしら？　私、短い本、大好きなんです。だから、自分が読んでもつらくない本を書こうと思って書きました。

「ところで、コンタクトレンズのことですが、一日使い捨てレンズ、あれはいいですよ。このあいだ上海に遊びに行った時」

ええ？　なんでそんな暇があんの？　伊藤君はいろいろ駆け回ってるっていうのに。同じアルバイトで。

ふたりともアルバイトで、伊藤君は何本も掛け持ちし、テレコムサウンズの大里部長はなんでこんな暇なの？　すごいです。大里はね、銀行の偉い人の娘だって。家柄ってことですか？　それは。伊藤！　いいのか？　こんなこと言われてて。くっそー！　家柄がいいから会社で優遇されてるってこと？　ああ、そういうことね。べつに一生懸命働かなくても実家に住んでるから。三十一で？　いかんね、それ。家出たほうがいいね、そろそろ。

「上海に遊びに行った時、中国の水道の水でコンタクトを洗うのが少々怖かったので、試しに使ってみたのですが、楽ちん楽ちん。夜、寝る時は外すので、一週間連続装用のように目ヤニが出ることもないのでは？　一度お試しあれ」

これ、本当ね、私、昔アフリカに行った時、本にも書いてあるんですけど、一週間連続装用レンズっていうの使ってみたら、本当に目が開かなくなっちゃったんですよ、ある日。くっついちゃって、目ヤニで。もう、捨て猫じゃないんだからって感じですよね。

「それにしても、女優のお仕事というのは大変ですね。海に行ってまで海女《あま》のような格好をしなければならない」

うん。なんか、予告編のような感想文でいいですね。本を読めばわかるんですよ。

「海女のような格好をしなければならないなんて、あ、違うか？　海女のような格好をしなかったから大変だったのか。ダメですよ、島の太陽を見くびっては。しかし、確かに」

……なんかこれさ、感想文というよりは手紙って感じじゃない？「聡美ちゃん、元気？」みたいな。

「日本にもすごく綺麗な海があります。今度はぜひ西表《いりおもて》の海を堪能《たんのう》してください」

あ、この人はですね、西表島でバイトしてたらしいですよ。ペンションかなんかで。ここにご自分で描いた大里さまの似顔絵、そっくりですね。なんか、もたいさんに似てるっていう噂があるらしいんですけど。そういう人なんです。えぇっと、

「西表の海を堪能してください。沖縄本島よりも、もっと綺麗ですから。その時に母がチンタラ」？

え？　間違えた。母がチンタラじゃないや。チンタラじゃなくて、チンチラでした。

「母がチンチラ、父がイリオモテヤマネコという、ちょっと野性的な猫のいる宿をご紹介しましょう」

へぇー、すごいね。どういうデカさでしょうね？

「さて、『東京１００発ガール』を読んで質問が少々。タイの海女、そしてスニーカーを『捨てろ』と言った事務所の者というのは、我が尊敬する安藤社長のことですか？」

だって。社長、尊敬されてるってさ。最初は尊敬されるんだよね、いつも若者に。

「猫の名前のことなんですが、なぜオシマンベなのでしょう？　北海道の地名は確か長万部《おしゃまんべ》でしたよね？」

これはね、私の飼ってる猫はね、おとっつあんとオシマンベっていうんですけど、最初、おとっつあんはオトっていう名前だったんです。で、オシマンベはオシキャットっていう種類だから、オシっていう名前にしたんですけど、なんかそれじゃあ、あまりにも可哀想でしょ？　オシキャットだから「オシ」。プードルだから「プー」みたいな感じでしょ？　アビシニアンだから「アビ」とかね。そういうのは可哀想だったので、ちょっと長い名前にしようってことで、オシマンベになりました。

オシャマンベはあの、「オシャ、マンベ」っていうギャグがあったので、ちょっとお下品なのでオシマンベにしてみたんですけど。次。

「エッフェル塔の前での写真、聡美さんのお母さんはどれでしょう？」

そうなんですよ。母親と旅に出た時のことも書いてあるんです。ツアーで行ったの、団体ツアーで。二十何人の。それで記念写真を撮ったんですよ。で、母親の顔も出るから恥ずかしいと思ったんだけど、「右から何番目が母」とか、そういうのをいっさい省き、どれが母親か、私の顔と見比べて当てていただこうと。

さあ、当たるでしょうか？　エッフェル塔の前で撮ってる集合写真があるので、その写真でどれが母親か当ててみてください。次。

「『100発100中』のビデオ、今でも見られるのでしょうか？　私、見たい」

これね、たぶんビデオはないんですよね。レーザーディスクで出てます。東宝のナントカ特選名作シリーズみたいなやつで。あ、『100発100中』っていうのは、〝100発ガール〟っていうのが浜美枝さんなんですけど、その人たちが大活躍する、とっても面白い東宝の昔のアクション映画で、それからこの本のタイトルとりました。次。

「しばらく筆をおき、女優業に専念するとのことですが、次回作も楽しみにしています」

次回作ってこれ、女優業の次回作ってことですかね？　もう本は、疲れるから書かないよ、しばらく。

「テレコムサウンズ、大里部長」

ほぉー、なんかこれ、手紙ですね、感想文というよりも。次。構成作家の政宗史子《ちかこ》さん。彼女はディレクターの遠藤さまに、ファックスで感想文を送ったらしいんですけど、届いてなかったらしいんですよ。それで政宗さまは、今日ここに来てから、眠い目をこすりながら一生懸命書いてくれました。偉いですねぇ。読みます。

「『東京100発ガール』を読んで。チューリップ組卒、政宗史子」

これ、幼稚園？　私はばら組。で、年長は竹組。

「北海道で生まれた私は、両親に『東京は怖ぇとこだでぇ』と教えられました。『んだば、東京の女の人も、きっと怖ぇんだろうな』と思い」

なんか、小林綾子ちゃんみたいですね。

「布団にくるまり震えてましたぁ」

『おしん』

話は関係ないけど、小林綾子さん、見てます？　昼間にやってるドラマ。あれ、現在《いま》の話なのにおしんがそのまま大きくなった役で出てたよ。いいんですか？　あれ。「んだば私も行ってぐるかぁ」とか言って。ちょっと心配です。と、人のことを心配してる前に、はい、続き。

「布団にくるまり震えてました。そしてこの『東京100発ガール』を読んで、ある結論に達したのです。結論。小林聡美がいちばん怖ぇだぁ。猫の周りに札束を広げて写真を撮るなんて」

うん、ありゃ怖いよね。私も確かに怖いことしたなと思ったけど、やっぱりあれぐらい刺激がないとみんな喜ばないんじゃないかと思って。でも、あの札束、上と下のお札の間に入っているのはみんな偽札だから。偽札だからね。まあ、いいじゃないですか、偽札でね。名作でしょ？　あの写真。

「猫の周りに札束を広げて写真を撮る。留守の花屋に忍び込んで、花をかっぱらう」

これは金払ったよー！　お釣《つり》くるぐらい。

「黒い絵の具でグリグリして、舌をベロベロする」

なんのこっちゃ？　この人。

「『学校の怪談』より怖い、小林聡美の世界をかいま見て、東京人としての甘さを痛感しました」

そうだよ、みんな。

「これからはこの本をバイブルに、小林聡美のような怖ぇ女にならないよう精進《しょうじん》したいと思います。終わり」

素晴らしいねぇ。なんかものの三分で書いたとは思えない名作だね。やっぱりプロは違うって感じ。

★ 昔の記事 ★

みなさんご存じでしょうか、コンピューターに名前を入力するとその人の過去の取材新聞記事がカタカタ出てくるっていう、そういうシステムがあるらしいんですけどね、遠藤さまがなにを思ったのか、今日は私をネタにやってみようってことになったらしいんですよ。すごいですね。

ちょっと今日の資料を見てみましょうかね。でもね私、本当嫌なんですよ、昔の自分見るの。だって……。ぇぇっと、ザッと、見出し。これ、昔のほうからいってみましょうか。

「受けた男の演技。小林聡美、『転校生』で一躍人気者に」

みんな知ってる？　私、『転校生』っていう映画出てたのよ！　もう何年前？　八二年だって。八二年だよ！　ということは、もう十四年前。十四年間だよ、芸歴。小林幸子も真っ青。いえいえ、足元にも及びません。そん次。

「二年ぶりの主演」

これ、あれだね。あの映画だね。

「実感、頑張り娘」「猫との共演で受けてます」「画面の姿と実像は大違いよ」

「嫌なことはその場で忘れる小林さん」「ドライでとぼけた味、小林聡美」

「小林聡美、三谷幸喜と電撃結婚していた経歴あり」

経歴ありってどういうこと？　なに？　これ。もう終わったみたいじゃん。なんか嫌だねぇ。さあ、見てみましょう。もう嫌。本当だよ、これ。どれがいちばん昔？　これだ。

「受けた男の演技。小林聡美、『転校生』で一躍人気者に」

すごいですね。これ、制服着てるじゃない、学校の。それでね、髪はね、松田聖子がこの時すごい人気でね。聖子ちゃんカットの短いやつ。気持ちワリィって感じです。えぇとね、遠藤さまが赤線を引いてくれてますね。

「公開中の松竹『転校生』が、今ヤングに大受け」

ほんまかいな？　これ。ヤングに大受け？　もう、いきなり死語から始まりました「ヤングに大受け」。

「少年と少女の身体《からだ》がそっくり入れ替わってしまうというユニークなストーリーなのだが、少女・一美、つまり、男の演技で爆笑を誘っているのは小林聡美」

爆笑？

「人気も急上昇中なのに、『実感ないわ。それより、しばらくガニ股が直らなくて困っちゃった』と、本人はケラケラ」

もとからだよって感じですね、ガニ股。恥ずかしい。これ、まだ新聞のコピーだからいいよね。これでいきなり本物の新聞とかだったら、なんか私、恥ずかしいですよ、本当に。すごいよ。

「じつは都立高校二年に在学中の十六歳。成績もクラスで三本の指に入る優秀さ」

だって。クラスで三本の指に入ったってねぇ、周りのみんなが馬鹿だったら誰だってそんなもん。そんなこたぁないですよ。私、本当に勉強頑張りました。さあ、次どれでしょうね？　もう本当に、顔ぜんぜん違うよね、これ。思わない？　一部じゃ整形したっていう噂もあるんですけど。私を整形した先生、出てきてくださいよ、お願いします。

次は八年前？　あ、これは中国に行った時だ。

「実感、頑張り娘」

これね、私ね、昔、中国の奥地に行ったんですよ。幻の女人国、中国奥地レポート。

「トイレが汚くても、泥水飲んでも生きてはいける」

カッチョいいねぇ。なんかこれ、カオリ・モモイみたいじゃない？　なんだか「私さぁ」みたいな。「中国行って思ったわけぇ」みたいな。「アフリカの大地ってぇ」みたいな。えぇとね、

「事務所のスタッフが待ち構えていて、『何でもいいから食べたいものを食べなさい』」

これはね、中国に四十五日間行ってたんですよね。中国四十五日間。その

当時、とても大好きな彼とも離れ離れの暮らし。「彼と離れたくないから、行きたくない」と言ったら安藤社長にどやしつけられ、そして私はケーキ一個で「じゃあもういいよ、行くよ」とか言って行きました。

電話がないんだよ！　電話がないし、手紙も書けないんだよ！　これ、つらいよねぇ。そしてあのね、四十五日だかのつらい、テレビも電気もないようなところへの旅が終わって、香港までとりあえず帰ってきたわけですよ。で、事務所のスタッフとかね、スタッフっていっても安藤社長しかいないけど、番組のプロデューサーとかが、そこに迎えに来てくれてて、

「何でもいいから食べたいものを食べなさい。エルメスだろうがシャネルだろうが、カード持ってきたから、欲しい物バンバン買いなさい」

とか言ってくれたんですけど、もうね、あまりのカルチャーショックで、

「マクドナルドのオレンジジュースが飲みたーい」

って、オレンジジュースを飲みましたねぇ。美味《おい》しかったですねぇ、それはそれは。

さて、次。この写真はなんか、すごい社会派って感じじゃない？　整形おボッコちゃんから、いきなりなんか大人の女になりましたよね。ビックリした。これ、夕刊フジなんだけど、なんかね、すごい大アップで丸メガネかけて。指輪はしてないか。なんか、私も二十いくつ？　これ。二十三だしぃ、みたいな、けっこう大人の顔なんですけど。大アップの写真です。えっ⁉

「この写真をパネルにして十名様に」って書いてあるよ。なにこれ。嫌だよ、これ聞いてた？　安藤さん。知らないんだよ。知らないうちに、これ、もらった人いるのかな？　パネル。いねぇよ！　これ、もらった人、ちょっとお便りください。私、その後のパネルがどうなったのか知りたい。いらないだろ、普通。こんなパネル。やめてほしいですね。勝手にパネルにしちゃってさぁ。もう、恥ずかしいです。

次。えぇと、八年？　七年前か。七年前、これは『やっぱり猫が好き』をやっていた頃ですね。

「猫との共演で受けてます。このごろ猫に縁がある」

そう、私この頃ね、『やっぱり猫が好き』とかね、あと『三毛猫ホームズ』とかね、いろいろ猫に関係する仕事をやってましたねぇ。

「トップスターへの野心は語らず、また持たない。一日一日が快適であることが大切というから、まるで性格は猫のようにおとなしい感じだが」

ほら、「猫のようにおとなしい感じ」。これが私の本質を表わしているかしら。

「今の女の子を的確に表現できる人だ」

そして、女の子もいつの間にか三十になり、オババになってしまいました。ところで私ね、沢田雅美さんに似てるって言われるんです。ほんまかいな。で、それをね、昔、樹木希林さんと共演した時に話したら、「藤田弓子のほうに似てる」と言われました。どっちもどっち。とても、ええ、こ、こ、光栄で、ですぅ。で、あのモックンと結婚した也哉子ちゃんに「聡美ちゃんは沢田雅美ちゃんに似てるって言われるんだって」と希林さんが話したら、也哉子ちゃんは泣きそうになって「可哀想、聡美ちゃん」と同情してくれたそうです。
ありがとうございます。ええ、次は七年前。

「画面での姿と実像は大違いよ！　演じた役は、元気でお喋りなお転婆《てんば》役がほとんど。画面に映る自分の姿を見ながら、現実の自分とのギャップにしばしば驚く。実際の私は地味で真面目だけが取り柄なんじゃないかと思うほど。自分のなかにもテレビで演じているような女の子の部分もあると思うけど、ドラマではすごくデフォルメされてるんです。健気《けなげ》にやってるなと思いますよ」

だって。どうでしょう？　みなさん。謙虚だよね？

なに？　違う？　だってさ、お仕事でね、陰気にやってたってしょうがないでしょ。楽しくやらなきゃさぁ。次。これもすごい。パンパンに太ってますねぇ。

「飽きっぽい性格。ドライでとぼけた味」

平成元年、東京新聞。

「飽きっぽい性格。この仕事が続いてるのは、やっぱり好きなんですね。理想は仕事が年に一、二本」

やらなさすぎだよ、それは。ほとんど働いてないってことじゃないか、それは。

「仕事は年に一、二本で、お金はたくさんもらう」

だって。ずーずーしいやつだなぁ。

「そのためには自分を磨いて興味を持たれる人間にならなくっちゃ」

だって。なにこれ。高慢チキなやつだなぁ。

じゃあ、この『東京100発ガール!』どうなるの? これ何発目? 十四発目だか十五発目ぐらいやってるでしょ? 十五発目だよ。やりすぎだよ。この仕事。どうでしょう? 『東京100発ガール!』年に一本とか二本だったら。次、読売新聞。

「潑剌《はつらつ》トーク。嫌なことはその場で忘れる。三カ月ぐらいで好きな食べ物が変わります。プリンの時期とかサツマイモの天ぷらの時期とか。今は蜂蜜入りヨーグルト、朝はいつも」

これはまあ、最近かなぁ。いつだろう？　でも、六年前だからね。じっくり見入ってしまいました。さあ、

「小林聡美、三谷幸喜氏と電撃結婚していた！」

これ、いつの写真でしょう？　って感じですね。これ、制作発表だね、『ビッグトゥデイ』の、ね。で、この私のハズはなにかしら？　いつの写真かしら？　真面目そうに写ってます。

「一年半前に恋愛感情が芽生え」

べつに読まなくていいってか？

「今月十日に入籍。人知れず交際」

だって友達いないんだもん、ふたりとも。

「『やっぱり猫が好き』の脚本家と女優。出会い七年目」

よかったですねぇ、本当に。でね、今日ね、この番組のスタッフのみなさんから結婚祝いにポットをいただいてしまいました。湯沸かしポット象印。

やっぱポットは象印ですよね。本当、ありがとうございました。今までポットとか持ったことなかったんです、ひとり暮らしだったから。頑張ってお茶飲みます。ありがとうございました。

というわけで、私ってこんな人。ぜんぜんつかみどころがありませんね。

★短縮言葉★

読みます。

「小林さん、こんばんは。つい一カ月前からこの番組を聴き始めました。新聞のラジオ欄には『ガール！』としか書いていなかったので、何の番組やらわからず、今まで無視していました。しかし、最近ラジオ欄に『小林聡美』と書いてあるのを発見し、これが『ガール！』の正体だったのかと今頃気づき、悔しさに夜ごと枕を濡らす毎日です」

なんで短縮すんだよぉ！　短縮すんなぁー！

ありがとう。とても感謝しています。短縮されても、聴いてくれたことがわかって、私は短縮された怒りよりも、感謝の気持ちでいっぱいです。でも本当にこの短縮すんの、よくないよ。昔の話なんだけどね、『やっぱり猫が好き』も、最初は「猫」しか書いてなくて、みんな、猫の可愛い番組かと思って、頑張って夜中まで起きてたら、なんかわけのわかんない三人が出てきてヒンシュクだったっていうことがありました。

本当に街にはわけのわからない言葉があふれていますね。私、短縮言葉で浮かぶものって、今考えたんですけど、ファミコン、パソコン、留守電。そのくらいの超日常的な言葉ぐらいしか浮かびません。でも、頭をひねって考えてみたら、最近の若者の特徴で、芸能人の名前とか短縮するのが多いということが判明しました。例えばドリカム、ミスチル。せっかく名前つけたんだからねぇ、全部呼んであげたほうがいいと思うんですけど。あと、トヨエツ、キムタク。あと、高橋英樹さんのことをね、ハシヒデっていうらしいですよ、業界では。ホント？

イヴ・サンローランはね、サンローラン。あと、まあちょっと話違うかもしれないけど、ナポレオンはね、ナポレオン・ボナパルトっていう名前なのに、みんなナポレオンのほうしか言わないの。レオナルド・ダ・ヴィンチだったらダ・ヴィンチって言うでしょ。レオナルドって言わないでしょ。パブロ・ピカソもパブロって言わないでしょ。それなのにボナパルトさんだけ名前のほうを呼ばれてるっていうことなんだよね。

あと、ドルガバ、洋服ね。あと、ハリウッドランチマーケットっていうのが東京にあるんですけど、あ、地方にもあるかな？　それをランチマって言ってますね。

それに、業界では山下達郎のことをヤマタツって言うんだけど、考えたらさ、漫画家でさ、山上たつひこっていなかったっけ？　『がきデカ』描いた人。あれ、山上たつひこでしたよね。確か。あれもヤマタツ？

いいの？　こんなんで。

★粗大ゴミ★

「私のケチ話を教えます。私のケチはラジオは拾うものということ。『東京100発ガール！』を毎週楽しく聴かせてくれるラジオ。粗大ゴミを捨てに行った時、昨夜《ゆうべ》の雨に濡れて淋しく捨てられていたラジオは？　なに、これ。

「粗大ゴミを捨てに行った時、昨夜の雨に濡れて淋しく捨てられていたラジオ。自分のゴミを捨て、そのラジオを拾って家に帰る」

ぜんぜん意味わかんない、これ。ちょっと整理するわね。私が粗大ゴミを捨てに行った時に、昨夜の雨に濡れて淋しく捨てられていたラジオを、自分の粗大ゴミを捨てたあとに拾って家に持って帰ったんだよ。ね。いいね。で、

「それを綺麗に拭いて電源を入れるとラジオも喜んで綺麗な歌が流れてきました。今では毎日元気に頑張っています。我が家の近所には学生寮があり、

二月三月は学生さんの引っ越しでラジオ、テレビ、ベッド、机、椅子などがワッサワッサと捨てられています。ラジオは拾うものです。ラジオ三台拾いました」

捨てるね、よく、学生も。そんなにお金持ってるの？　寮の人たち。

私なんかね、十九のときにひとり暮らし始めて、いちばん最初に買った食器棚とかテーブルとか、まあ、さすがにテーブルはその時流行《はや》りの白木の丸いテーブルだったから、ちょっとさすがにもう使えないと思って二回目ぐらいの引っ越しの時に実家に持ってったんだけど。食器棚はね、いつまでもその時の白木のやつで、恥ずかしー！　家具も食器棚も白木。でもどんどん自分の趣味は変わっていくわけで……。

うちのババ社長もね、食器棚とか家具とかほら、ペンキでいろいろ塗ったりとかしてたから、真似《まね》してね、私も自分の好きな色にいろんなものを塗りたくり、けっこう楽しく使い回し。

もう、結局結婚するまでその食器棚ずっと使い続けました。なによぉ!?

ケチ？　そんなことないよね？　十年使いました。だけど、いろんなもの人にあげたよね、引っ越しの時。

あと、拾ったものといえば、遠藤さま。捨てたものあれば拾うものあり。遠藤さまはなんか白い家具で部屋をまとめてたらしいんです。それでつい最近、引っ越しする時に、白い食器棚と、白いサイドボードと、白いチェストと、白い机を粗大ゴミに出したら、次の日の朝、なかったんでしょ？　そうなんだよね。

あれ、粗大ゴミってさ、名前書かなきゃいけないんだよね。清掃局に申し込んで、紙に名前書いて、それを貼って。で、マンションとかはオートロックだったら表まで出しに行かなきゃいけないんだけど、普通、玄関まで取りに来るんだよね。玄関の外に出しといてくださいとか言われて。大体八時半までに出さなきゃいけないんだよね。

八時半ですよ。まあ、普通の方は起きてるかもしれないけど、つらいよね、朝八時半。だから、前の日に出して持ってかれちゃったりしたんですよね。

私の場合はね、引っ越しする時に粗大ゴミ出したの、いっぱい。で、私、清掃局に電話で「えぇと、食器棚とナントカとカントカと」って言って。粗大ゴミ出すのにもね、机二百円とかナントカ千円とか、お金とられるんですよ。そうしたら、私の前の日に引っ越してった人が連絡しないで粗大ゴミを出してたんですよ。それでね、前の人の分まで払わされたの、私。なんで!? なんか変な、本棚みたいなやつ。テケテケテケって清掃局からの請求書が来て、「なんだ? これ」って。捨ててない書棚とかナントカカントカ、二つぐらい払わされてんの。すっごい頭きました。くっそー!

歌のコーナー

なぜ歌謡曲なのか。

それは、日本人だからです。

「歌は流れるあなたの心に」と言ったのは確か、かの玉置宏だったと思うが、もしかしてそれはもっとずっと前の、玉置の前の前の、当然私の生まれるずっと前の時代から語り継がれてきた名台詞なのかもしれない。

よくぞ言った。

そうなのだ。歌謡曲こそ日本人の魂、ソウルなのだ。

近頃では、日本人の平均身長もずんずん伸び、西洋の人々に見劣りしなくなってきたのと比例して、日本の音楽も世界のミュージックシーンを揺るがす勢いで大発展をとげている。素晴らしいことだ。よく頑張った（なんてね。大げさな表現していますが、実際のところはちっとも詳しくない)。

でも……歌えなくないか。

私は歌えない。

だって難しいんだもん。

ある日突然、アイドルの顔と名前が一致しなくなる恐るべき「オババ現象」が始まったと思ったら、あれよあれよという間にジャパニーズポップスシーンから脱落の一途である。新しい曲をカラオケで歌おうと思ったら、必死こいて練習しなければ、決して歌えない。しかしそれでも歌えない。心に流れるどころか、おびただしい量の歌詞と複雑なコード進行で私のほうが、歌に流される不思議の国のアリスちゃんである。

歌心とは、そんなものなのか。必死こかなければ歌心を感じることはできないのか。

いいや。そうではないはずだ。

歌謡曲とは、知らないうちに覚えてしまっていて、いつでもどこでも口ずさめるというのが、本来のあるべき姿だったはずである。その歌詞は、とんちんかんなところもあるが、無邪気このうえなく、楽曲はどれも単純な進行で、誰もがほっとして、腰をふりふりしたくなるものばかりだ。

それが、玉置の言う歌謡曲ぞ。

日本人の魂ぞ。

スナッキーで踊ろう

海道はじめとスナッキー・ガールズ

こ、こ、これは、いったい、何なのでしょうか。

こ、怖い……。怖いけど、はまる。

普通の音楽感覚では理解できないこのメロディライン。まるで、子供が誤って一杯ひっかけて作った、インチキそら歌のようです。

そして、この海道はじめの歌い方もじつに不気味です。

まず、やや低音で唸《うな》るように、

♪おーおーおーおーおーおーおー

スナッキー

と歌うと、次にオクターブ上げて、鼻から抜けた声で、

♪オーオーオーオーオーオーオー
スナッキィーッ
と、おしまいをひっくり返して歌うのです。そのひっくり返しは、この歌の随所にみられ、全体の異様な雰囲気をさらに助長しています。そしてこの海道はじめの後ろで、
S・N・A・C・K・Y！
と叫びながらゴーゴーを踊っているのがスナッキー・ガールズこと、小山ルミ、吉沢京子、風吹ジュンでした。人に歴史ありです。この掛け声のところはまだいいのですが、コーラスで♪スナッキィ〜と歌うところは、なんだか、頭に注射でもされて意識朦朧のなかで歌わされているような痛々しささえ感じてしまいます。
スナッキーというのは、なんでもどこかのハム会社が発売したソーセージのペットネームだそうです。ということは、これはいわばCMソング？　この曲で販売を促進しようとしていたのでしょうか。こ、怖い……。

スナッキーで踊ろう

歌　海道はじめ　スナッキー・ガールズ
作詞　三浦康照　　作曲　船村徹

一、オオ………スナッキー　スナッキー
ウウ………スナッキー　スナッキー
燃えろ　若さだ　飛び上れ
可愛いひざを　のぞかせて
背中合わせて　踊ろうよ
オオ………スナッキー　スナッキー
ウウ………スナッキー
SNACKY　ゴーゴー

二、オオ………スナッキー　スナッキー
ウウ………スナッキー　スナッキー
星だ　リズムだ　抱いてやろ
あの娘は髪を　ふり乱し
背中合わせて　踊ろうよ
オオ………スナッキー　スナッキー
ウウ………スナッキー
SNACKY　ゴーゴー

三、オオ………スナッキー　スナッキー
ウウ………スナッキー　スナッキー
好きだ　パンチだ　叫ぼうよ
みんなで恋に　酔いながら
背中合わせて　踊ろうよ
オオ………スナッキー　スナッキー
ウウ………スナッキー
SNACKY　ゴーゴー

もうだめ　もうだめよ

藤　ユキ

これはなんといっても、イントロのベースがカッコいい。ウッドベースの太くて低い音がお腹のなかにまで響いてくるようです。

「おお、いいねぇいいねぇ」と、いったいこれからどんな曲の展開になるのか、ワクワクしてきたところに、いきなり、

♪もうだめもうだめもうだめもうだめ……

と、これでもかの超ネガティブ台詞の連呼。

それも、ハスキーでセクシーな歌声でです。

受験生が部屋で聴いている時、急にお母さんが入ってきたら、ものすごくあせる曲です。別にいやらしい歌ではないのですが、なぜか背徳の匂いを感

じる一曲です。

現にこの曲は、一時放送禁止になったことがあります。やはり、聴く者をなんとなくデカダンの世界へいざなってしまうのが、これから発展をとげようとしていた日本には、ふさわしいものではなかったのかもしれません。

藤ユキは、何がもうだめだと言っているかというと、「あなたに逢いたくてしょうがない。待っていられない。はやく助けに来て」ということを、切々と歌っているわけなのですが、こんなふうに延々と、もうだめもうだめもうだめもうだめ、なんて迫られたら逢いに来るほうも尻込みしてしまいそうです。さらにすごいのは、

♪もうだめもうだめもうだめもうだめ

とウルウル歌ってるバックには、

♪もう〜、もう〜、もう〜、だめぇ

と、藤ユキのトドメを刺すような悩ましい声がかぶっているのです。

怖ーい。ぜひ、ご一聴あれ。ものすごいです。

もうだめ　もうだめよ

歌　藤ユキ
作詞作曲　浜口庫之助　編曲　近藤進

一、もう　もう　もうだめ　逢いたくて
待ってられない　このわたし
立ってられなく　なっちゃうの
「はやく　はやく　助けに来てよ
わたしは誰かに　つかまりたいの
もう　もう　もうだめ…………
もうだめよ…………」

二、どう　どう　どうして　淋しいの
何を聞いても　何見ても
いやになるほど　淋しいの
お酒を飲んで　酔っちゃおかしら
酔えば　男なんか誰だっていいでしょ

もう　もう　もうだめ…………
もうだめよ…………

「　　」内くり返し

Deep

渋谷哲平

みなさんは覚えていますか。
渋谷哲平が新曲『Ｄｅｅｐ』をひっさげて、『レッツゴー！ヤング』に登場した日を。
スタ誕からデビューした彼は、決して派手な歌手ではありませんでした。歌う曲も、
♪ごらん、朝日だ、今日のいのちだぁ
などと地味なものでした。歌う時のファッションも、清潔感漂う好青年風。いわゆる、あたりさわりのないいい子、といったかんじで、そんな彼を支持するファンの女の子たちも、やはり彼にふさわしい真面目そうな娘さんたち

ばかりでした。

デビューしてどのくらい経《た》ったでしょうか、生真面目無難路線ゆえに、いまいちブレイクしなかった哲平が、ある日突然、大変身をとげたのです。

それが『Ｄｅｅｐ』でした。

なんとあの哲平がラメラメパンタロンジャンプスーツを着て、颯爽《さっそう》と舞台上手《かみて》から走り出てきたのです。そして、彼の後ろにはバックダンサーたちが……。

そして、テンポのいい前奏が始まると、驚いたことに、あの哲平が踊りだしたじゃあありませんか。それも、けっこう激しい踊りです。あの清純そうな哲平はもうそこにはいませんでした。

そこには恋に焦がれる男臭い哲平が激しく歌い、踊っていたのです。

私は、そんな哲平を見て、それはそれは驚きました。それまで彼に、たいして関心のなかった私でさえテレビに釘づけだったのですから、このイメチェンの効果は相当なものです。

実際、この曲は大ヒット。渋谷哲平の曲のなかではもちろんいちばんヒットしたのではないでしょうか。

この哲平の挑戦は、幼かった私の胸に深い衝撃を残しました。まさに、ディープ。

この時の衝撃があまりにも深かったものだから、その後の哲平の活躍が私の記憶にまったくありません。もしかしたら、本当にこれしかなかったのかもしれません。

でも、それでもいいじゃないか、哲平。

あたしは、見てたよ。あんたの挑戦をな。

Ｄｅｅｐ

歌　渋谷哲平
作詞　松本隆　　作曲　都倉俊一

Ｄｅｅｐ　青い海泳ぐ君の影
Ｄｅｅｐ　ヨットから飛び込むのは八月
飛び散るしぶきに濡れた肌
陽射しにきらめく長い髪
Ｄｅｅｐ　蒼ざめた硝子のくちびる
Ｄｅｅｐ　くちづけに知らん振りで横向く
両手で背中を抱くけれど
人魚の真似して身をかわす
ブルーになっちまうよ
心が摑めなくて　いつもちぐはぐ君は
あやふやな顔で謎かけ遊びさ

＊この愛は深いよ　海よりも深いよ
沈んでしまうよ　のまれてしまうよ
深みにはまる罠
傷ついて（傷ついたのさ）
さらわれて（さらわれたのさ）溺れそう

Ｄｅｅｐ　サーフィンで波を走る影
Ｄｅｅｐ　灼けた胸滑り落ちる冷汗
ジリジリ焦げつく熱い砂
ヒリヒリ夢さえ渇く風
Ｄｅｅｐ　海原に眠る桜貝を
Ｄｅｅｐ　探してと君はそっと振り向く
棚礁《リーフ》をすり抜けもぐる海
絵模様奏でる熱帯魚
ブルーになっちまうよ
態度が決まらなくて　好きと嫌いを君は
使いわけ軽い謎かけ遊びさ
＊くり返し

マンボ・バカン

ゴールデン・ハーフ

なぜこのレコードがうちにあったのか不思議でなりません。

ゴールデン・ハーフといえば『8時だョ！全員集合』で子供たちにも馴染みがあったとはいえ、彼女たちの歌はやはり、大人のお色気ソングといった色が濃く、子供が自主的に買ったりするものとは思えないので、私たちきょうだいが持ち込んだものではないでしょう。

一方、私の父親もゴールデン・ハーフについては、

「かーっ、ガリガリ」

と言って、さほど興味があるようではなかったので、父親が購入したという線も消えます。母親も、当時ソシアルダンスに熱心でしたが、いくら「マ

ンボ」とついているからといって、わざわざゴールデン・ハーフでマンボを踊ることもなかったと思います。

しかし、このレコードは我が家にあったのでした。

私の記憶では当時ぜんぜんヒットしなかった、というよりは、誰もこの歌を知らなかった、といったほうが適当かと思われますが、とにかくそんなマイナーな曲なのに、やたらと威勢よくウッ！　とかハッ！　という掛け声で始まったかと思ったら、今度はウッフ～ン♥だのアッハ～ン♥だのお色気ムンムンのもだえ声です。子供はたまったものではありません。

そして、歌の内容もよく覚えていないのです。

♪わたしは　可愛い　マンボ　マンボ

とか、確かこんなもんで、特に内容のあるものではなかったと思います。

そこに、ウッフ～ン、アッハ～ンとくるわけです。

子供ながらに、この曲はなかなかエグい（死語の世界）もんだなあ、と感心したものです。それにしても、なぜこのレコードがうちに……？

マンボ・バカン

歌　ゴールデン・ハーフ
日本語詞　橋本淳　　作曲　ヴァトロ

ラ……　マンボ　マンボ　マンボバカン
マンボ　マンボ
ラ……　男がいつでも　マンボ　マンボ
口笛ならして　私を踊りに
さそうけどだめなの　マンボ……
誰にも言えない　秘密があるのよ
恋のマンボ

ラ……　マンボ　マンボ　マンボバカン
マンボ　マンボ
ラ……　私は可愛い　マンボ　マンボ
ピンクの素肌は　リズムを待っている
アイドル娘の　マンボ……
誰にも彼にも　さそわれたいけど
だめよマンボ

ラ……マンボ　マンボ　マンボバカン
マンボ　マンボ
ラ……　好きなのあなたが　マンボ　マンボ
私のハートは　あなたの自由よ
恋する娘の　マンボ……
明日も二人で　くちびるあわせて
踊るマンボ

ボンゴ天国

五木詩郎

いきなり激しく鳴り響くパーカッション。

それは身体の中から湧き出る熱い情熱を、こらえきれず発散させるかのようです。そこに軽快なトランペットが重なって、ラテンの雰囲気がぐっと強まります。そして、ややオジサマ風の声で、

♪ボンゴボンゴ叩いて踊ろうよ〜

と始まると、その後に、

「キィ〜ッ！」

とか、

「ひい〜ッ！」

という、オゾマしい、男たちの悲鳴にも似た合いの手が入るわけです。これぞ、まさしく情熱の一曲。

そして情熱といえば西城秀樹。

世が世なら、西城秀樹が歌っていたに違いありません。

しかし、それにしても、なぜこの歌のタイトルは『ボンゴ天国』なのでしょうか。内容は、熱々のふたりはいつも一緒にいたい、とにかくボンゴ叩いて歌おうよ、コンガ鳴らして話そうよ、というもので、そんな恋人たちの歌ならば、もっとムードのあるタイトルにしたほうがよかったのではないでしょうか。例えば、

「情熱の夜」

とか、

「真っ赤な情熱」

とか、

「俺にやらせろ」

とか。こんなふうにすると、いかにもヒデキが歌いそうです。
情熱の男ヒデキ。しかし、五木詩郎はあまりにも押阪忍系です。

ボンゴ天国

歌　五木詩郎
作詩　永井ひろし　　作曲　高田弘

ランラララララララー
ボンゴボンゴ叩いて踊ろうよ
コンガコンガ鳴らして歌おうよ
風も甘いとっても甘い二人だけのパーティー

アーきみは美しい
アー僕のかぐや姫

ボンゴボンゴ叩けば青い月
コンガコンガ鳴らせば光る星
いつもいつも僕と君の真っ赤な恋を照らすよ

ランラララララララー
ボンゴボンゴ叩いて手を取ろう
コンガコンガ鳴らして話そうよ
君も燃える僕も燃える二人だけのパーティー

アー熱いくちづけを
アー深い恋の夜

ボンゴボンゴ叩けば天国さ
コンガコンガ鳴らせばパラダイス
いつもいつも僕と君の二人の花が咲いてる

アー会っているときは
アー夜がすぐ過ぎる

ボンゴボンゴ叩けば踊りだす
コンガコンガ鳴らせば歌いだす
いつもいつも僕と君の楽しい夢を作ろう
いつもいつも僕と君の楽しい夢を作ろう
アーアーアーイエー

図々しい奴

谷 啓

私のように、人生真面目にやっていると、時々やりきれなくなることもあります。

例えば、友人と待ち合わせの日、朝からばたばたと忙しく、身仕度も慌ただしくチャチャッとして、あせって家を飛び出し、約束の場所へ時間ギリギリにつくと、まだ友人は来ていない。そして待てども待てども現われず、二十分もすると、さすがの私もイライラ度九十七パーセントといったところです。三十分も過ぎた頃、

「ごめぇ〜ん、遅くなっちゃった〜。ねぇ、なんか、ちょっと髪へんでしょ。ねぇ？」

とやってきた彼女は、ヘアもメイクもばっちりきまっています。きっとヘアスタイルがきまらずに、あれこれいじくっていたのでしょう。

そして、その日一日、彼女はどこへ行っても、ボサボサの私より明らかに優遇されます。

そして、さらに、帰る段階になって、あることが判明するのです。

私はかなり遠い有料駐車場にちゃんと車を停めてきたのに、彼女は、

「あの～、申し訳ありませぇ～ん。おまわりさんが来たら教えてくださぁ～い。うっふ～ん」

とそのお色気を駆使して、ケーキ屋さんの前の駐車禁止の路上に、自分の車を停めさせてもらっていたのです。

「車、ありがとうございましたぁ。うっふ～ん。じゃあね、聡美。気をつけてね～」

私は、走り去る赤い車を愕然《がくぜん》と見送った後、はるか遠い有料駐車場までてくてくと歩く道すがら、

「なんかなぁ……」

とつぶやいたりするわけです。

そんな時、聴くのにいい曲です。

真面目に生きている自分が不憫《ふびん》に思えたら、この曲を聴いて気持ちを奮い立たせるのです。

べつに、図々しい友人を呪った歌ではありません。

図々しい奴

歌　谷啓
作詞　青島幸男　　作曲　萩原哲晶

一、頭は悪いし　金もない
　　だけどいつでも　しあわせさ
　　うじうじするのは大キライ
　　図々しい奴と人は言うけど
　　どうせこの世は押し一つ
　　一押し二押し三に押し
　　押せばできるさ　やってみろ
　　ヤレヤレヤレェー

二、面はまずいし　背も低い
　　だけどいつでも　しあわせさ
　　うじうじしたってはじまらねェ
　　図々しい奴と人は言うけど
　　どうせこの世は押し一つ
　　一押し二押し三に押し
　　押せばできるさ　やってみろ
　　ヤレヤレヤレェー

三、育ちは悪いし　品もない
　　だけどいつでも　しあわせさ
　　うじうじする奴ァ　ぶっとばせ
　　図々しい奴と人は言うけど
　　どうせこの世は押し一つ
　　一押し二押し三に押し
　　押せばできるさ　やってみろ
　　ヤレヤレヤレェー

ふたり

つなき&みどり

なんてイカしたデュオでしょう。

男と女のデュエットで、こんなにスカッときまっている歌は聴いたことがありません。

『ロンリー・チャップリン』のように、革ジャン着て夜のニューヨークを背中丸めて歩きながら、惚れたはれたなどと言っているのとはわけが違います(ホントにそんな歌でしたっけ)。ロンリー・チャップリンが革ジャンなら、やっぱりピタピタTシャツにパンタローンだねぼく達ふたり、といった、もう若さムチムチの楽曲です。

歌の内容も若者らしく、お互いの駆け引きゼロのストレート。一途な純愛を歌ったものとでも言いましょうか。

詞の内容はともかくとしても、つなきとみどりの歌い方がいいのです。こう言うと、

「いやぁ、やっぱりサブちゃんの歌い方はいいねぇ」

としみじみしてしまう、一杯飲み屋のおっさんとあまり変わりませんが、実際、なんて息の合ったふたりだったんだろう、と感心してしまいます。みどりの弾《はじ》けるボーカルにつなきの伸びやかなコーラスがかぶさって、これは、絶対「私も歌ってみたいわっ」と思わせる一曲です。

じつは、私はこの歌が大好きで、はじめから終わりまで歌詞を見ずに歌えるという特技を持っています。おまけに、みどりのパートもつなきのパートも歌えるのです。

しかし、そんなことができて何になりましょう。

そう、これには相棒が必要なのです。

つなきのような相棒が。

（ゴジラメイトの）別所はどうかと思ったのですが（なんとなく似てるし）、彼の売りのラインとは違ったところにいってしまいそうなので、やはり、機会があれば、実際のつなきと歌ってみたいというのが、私のささやかな夢であります。もちろんつなきのナマバンで……。

ふたり

歌　つなき&みどり
作詞　橋本淳　　作曲　筒美京平

ぼく達ふたり　あなたと二人
喧嘩しても　ひとつのリンゴを分けて
背中あわせよ　離れられない
昼も夜も　隣り同志
感じあえる　たがいを
愛しあう心がある限り

誕生日には　花を飾って
ささやかな贈り物に　愛をあげた
＊｛早くお嫁に　あなたむかえて
悪いことは　知りたくない
女の子は夢見る
初恋が　大人になることを｝

＊くり返し

プリーズ・プリーズ・ミー

東京ビートルズ

いったい、この人たちは何者?

四人編成のこのグループ、自主的に結成したのか、それとも企画ものなのか、そのへんもさだかでなく、ただわかっていることは、思いっきりビートルズのコピーをしていた謎のグループ、おまけに日本語で、ということだけです。

彼らはビートルズが好きだったのでしょうか。

憧れていたのでしょうか。

だったら、レコードなんて出してはいけません、あなたたちは。

ビートルズに失礼です。

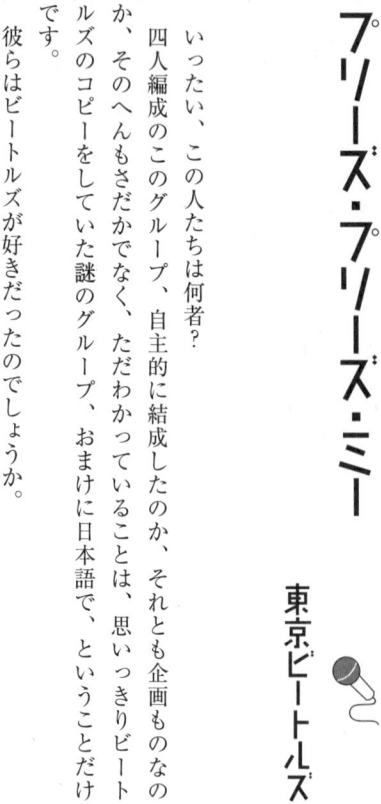

こんなヘタクソなプロの演奏を、私はいまだかつて聴いたことがありません。初めて彼らの演奏を聴いた時などは、前後不覚になって身動きがとれなくなったほどです。しかし、それだけではおさまらず、その歌のヘタクソなこと。もう、信じられないほどヘタクソなのです。

ヘタクソでもヘタクソなりに、エコーをかけたり上手いところだけをつなげてなんとかするとか、いろいろ手はあったはずですが、そういうの、一切なし。スタッフもいったい何を考えていたのでしょう。これでいいとでも思っていたのでしょうか。

とにかく彼らのプレイは、すべて驚きのヘタクソ加減なのですが、この『プリーズ・プリーズ・ミー』は、大胆にも、演奏を間違えてしまったにもかかわらず、そのまま収録してしまっているのです。音楽にまったく詳しくない私にだってわかる具合です。どういうこと？　いいんですか、これ。しかし、その一音の外れ方が、妙に耳にひっかかって、何度もそこを聴かずにはおれません。もしかして、それがねらいだったのでしょうか。恐るべし、東京ビートルズプロジェクト。

ＣＤのなかのライナーノートにマッシュルームカットのビートルズと肩を組んでうれしそうに笑っている同じ髪形の東京ビートルズ。しかし、よく見ると、その外人さんたちも、ビートルズのソックリさんなのです……。

なんか、悲しい……。

プリーズ・プリーズ・ミー

歌　東京ビートルズ
作詞　漣健児　　編曲　寺岡真三

やさしさをかくしていつも冷たいけど
カムオン　カムオン　カムオン　カムオン
カムオン　カムオン　カムオン　カムオン
プリーズ・プリーズ・ミー
オーヤー　ライク　アイ　プリーズ　ユー

これほどすきなのにきみにはわからない
カムオン　カムオン　カムオン　カムオン
カムオン　カムオン　カムオン　カムオン
プリーズ・プリーズ・ミー
オーヤー　ライク　アイ　プリーズ　ユー

＊
いちどはすなおに女の子らしくして
いいかいこんなにいらだつ男の気持を
しずめてよ
いつまでもそんなにわがままを言わずに
カムオン　カムオン　カムオン　カムオン
カムオン　カムオン　カムオン　カムオン
プリーズ・プリーズ・ミー
オーヤー　ライク　アイ　プリーズ　ユー

＊くり返し

ミーオーヤー　ライク　アイ　プリーズ　ユー
ライク　アイ　プリーズ　ユー

東京レジャー娘

渡辺マリ

昭和三十年代の経済発展を支えていた、働き者の当時のお父さんたちは、この歌を聴いて、腹を立てなかったのでしょうか。

♪あ～　暇だなあ

で始まるこの曲は、最初から最後まで、来る日も来る日も暇な日々をいかにレジャーして過ごしているか、というのをとくとくと歌ったものであります。

ある日の朝はトーストを一枚食べて、美容体操をした後、彼の車でドライブ。そして、外国映画を観て、ジャズ喫茶で楽しんだところで、おもむろにボーリング。そして、レジャー娘は忙しい、とくるわけです。

さらに、翌日も銀座のデパートをひとめぐりして、また彼の車でドライブ。その後なぜか英語の勉強をしてバレエのレッスン、お料理学校。そこでまた、レジャー娘は忙しい、とくるわけです。三番もあるのですが、くどいのでやめにしますが、とにかくこんな感じです。

どうです。

いいですね〜。レジャー娘になってみたいもんですね〜。

前述したように、この曲が東京オリンピックの少し前に歌われていたというのがすごい。みんな必死で働いていた時に、レジャー娘というのがすごい。いつの時代にも、暇をもてあます若人《わこうど》がいる、ということですか。

それにしても、バックの男性コーラスの、

♪ヒマ・ヒマ・ヒマヒマヒマヒマ

というのは、なんとかならないものでしょうか。

ホントに力が抜けまっす。

東京レジャー娘

歌　渡辺マリ
作詞　井田誠一　　作曲　利根一郎

あー　暇だなあ

レジャーレジャー暇で困るわレジャーネ
ヒマヒマだけどポッポはピンチなの
（二、三番略す）

朝はトースト一枚だけで
美容体操ワン・ツー・スリー
彼の車でクイッククイッククイック
アチラの映画やジャズ喫茶
ドラマはイカス　ペットは泣かす
恋のレッスン彼にゃ負けないボーリング
ヒマヒマ　レジャー娘はいそがしい

銀座のデパートひとめぐり
やたらに買いたいものばかり
彼の車でクイッククイッククイック
英語アチラ語お勉強
バレーのけいこお料理学校
恋の味つけ彼のお好みなにかしら
ヒマヒマ　レジャー娘はいそがしい

ネオンが点いたらはりきって
あれ着てこれ着てパリモード
彼の車でクイッククイッククイック
誰と踊ろかごきげんで
昼もパーティー夜またパーティー
恋もしみじみ彼とゆっくり出来ゃしない
ヒマヒマ　レジャー娘はいそがしい

案じるより団子汁

テレビやラジオの人生相談ほど無責任なものはない。

ああいうコーナーは、時間で区切られたものだから、時間が来ると、

「ま、そういうわけですから、お互いよく話し合って。ね、奥さん、わかった？　じゃ、さようなら。はい、桃屋のＣＭでーす」

と、さっさと電話を切ってしまうのである。話し合ってもダメだから相談しているのに。

その点、このコーナーは良心的である。

はなっから悩みを解決するコーナーではないからだ。

にもかかわらず、ありがたいことに、本当に、日本各地から、くっだらない悩みがいろいろと送られてきた。

平和だ……。あまりにも平和すぎる。

もっとも、平和だから、こんなわけのわからない謎のラジオ番組を

聴いてくれていたのであろうが。

　そんなばかばかしいはがきを読んでいるうちに、かしこまって、マジにやっている自分が不憫に思えてきた。

「だって、聴いている人たちは、こんなにばかばかしいことで悩んでいるっちゅーに」

　そうして真面目な私は、途中からだんだん、ヘラヘラと無責任なヤツになっていったのである。そして、それが、なんだかとっても楽なことに気づいた。

　すると、それと同時に、言葉遣いがものすごく悪くなってきている。文字になると明らかだ。

「いやぁ～ん、アタシ、こんなこと言ってなーい。ハゲおやじなんてぇ」

と、今さら繕《つくろ》っても後の祭りだ。何度も言っているんだよ、ハゲおやじとなっ。

気が緩むとすぐこうだ。

楽なほうへ流れると、どこまでも堕落の道をたどってしまうのだ。

人間とは、悲しい生きものなのね。

★座右の銘★

とりあえずこの〝案じるより団子汁〟っていうコーナー名なんですけど、なんでこんなタイトルかっていうと、これ、ディレクターの遠藤さまがつけたタイトルなんです。要するにこれは遠藤さまの座《ざ》右《ゆう》の銘《めい》らしいんですよね。で、この〝案じるより団子汁〟の意味は、「クヨクヨ考えているより、団子汁でも食ってるほうが美味しいし、身体にいいということ」。なに？　これ。「悩んでも仕方がないよ」って、なんかそういうことらしいんですけど。聞いたことないですよね、こんな座右の銘。ちなみに私の座右の銘はですね、

「流れる水は腐らない」

これはですね、おわかりのように池のようにね、ああいうふうに溜まっている水はどんどん腐ってしまうんですよ。ね。苔《こけ》もむすだろうし。苔とかカビとか、私、大っ嫌いなんです、ああいう気持ち悪いもの。ただ、流れてい

ればいつまでもサラサラと腐らずに新鮮なまま。素晴らしいですね、この座右の銘。こういうふうに生きたいと思っております。

ちなみにですね、いろんな方の、とりあえずこのスタッフの座右の銘を募ってみたところですね、作家の政宗さん「三食、昼寝付き」。そして安藤社長「楽あれば苦あり」。あ、間違えた、「楽あれば楽あり」。

なんなの？　この人たち。なんかね、みんな楽なほうへ楽なほうへ。

まあ、人生楽あれば楽ありと、そういうことでしょうかね？　でも、真面目でしょ？　私なんか「流れる水は腐らない」。まあそう、だからなんだっけ？　そう、だからこのコーナーはみなさんの悩みを紹介して面白がるというコーナーだということなんですよ。

「人間としてはブスだけど、猿としては美人と言われた私の立場……」これ、誰ですか？　私の立場って、これ書いてあるまま読んでるんですけど。誰？これ。そういう低次元のくだらないリスナーのみなさんの悩みを、ここで紹介してあざ笑い、そして解決するかわりに供養するというコーナーです。

★ 足音がうるさすぎる ★

今日は、ディレクターの遠藤さまのお友達という方の悩みを、ちょっと紹介させていただきましょう。

「小林さん、こんばんは。私の悩みは足音がうるさすぎるということです。自分では普通に歩いてるつもりなのですが、ハイヒール、サンダル、スリッパ、どれを履いてもとにかくうるさいらしいのです。先日はついに会社の上司に呼びつけられて、『君の足音はほかの人の仕事に支障をきたす。なんとかしなさい』と注意を受けました。なんとかしろったって、自分ではそんなつもりないのにショックでした。それ以来、私は社内を這《は》うように足を滑らせて動いています。だけど、そんなふうに動く私はストレスで爆発しそうです。聡美さん、良きアドバイスはありますか？」

ということなんです。どうでしょうね？　これ。足音がうるさすぎる。でも、普通に歩いている。うーん？　この人はきっと、昔ツッパリだったんじゃないですか？　靴ちゃんと履いてないんじゃないの？　足に合ってないとか。なんかペタペタ、ペタペタ歩いてる人いますよね。でも、這うように足を滑らせて動いてるとね、すごいみっともないですよ。お能みたいでしょ、なんか。なんたってカッコよく歩くってぇのは、膝がピッと伸びてるっていうのがね、モデルさんみたいでカッコいいですからね。摺《す》らせたり這うようにしたら膝が曲がりっぱなしでしょ。身体にもよくないですしね。

まあ、自分に合う靴を選んでください。この人、足が小さいんじゃないですかね？

私も足、小さいんですけど。でも、政宗さんはもっと小さい。けっこうみんな、サイズを言うとビックリして、「嘘でしょ？」っていう感じで。「私、足、二十二センチなんです」とか言ってたら、構成作家の政宗さんは、二十一・五センチなんですよ。身長何センチですか？　政宗さん。百五十七センチ。ああ、小さいですよね。もう本当、靴とかないんですよ。悲しくな

ります よね。

自分に合う靴がないっていうのは、本当に悲しいですよ。二十一・五センチなんていったら子供用でしょ？　子供用ったって、かかとのある靴なんてないですしね。

まあでも、このおはがきの方に「どうしたらいいんですか？」って聞かれても困りますけどね。まあ、身体に気をつけてください。ちゃんと歩いたほうがいいですよ。あんまり気にしないでドタバタと。いいんですよ、オジさんだってね、人のこと言えないこといっぱいありますよ。なんか、シーハー、シーハーうるさいとかね。もっとハゲをなんとかしろとかね。そういうことはいっぱいありますからね。オジさんの言うことはあんまり聞かないで、勝手にバタバタ歩いてればいいんじゃないですかね。

★ ホクロが多い ★

「私の〝案じるより団子汁〟を聞いていただきましょう。ホクロが多いのよぉ！　子供も、最近増えてきたんです。まあ、私、もう結婚したし、いいけど。子供も『ホクロってうつるの？』と心配しています」

平和やねぇ。平和すぎる。ホクロが多いのはね、これはなかなか楽しめますよ。星座のように、子供とともにサインペン片手に、「ほら、これでオリオン座」とか「北斗七星」とか言っていろいろ楽しめるじゃない。いちばん濃いのに矢印して、「これは北極星」とか言っちゃってね。ホクロが多いのはまあ、しょうがないですよ。もう歳ですし。ビタミンCでも飲んで、美白に力入れてください。

ホクロってうつるっていいますけど、ホクロは遺伝するみたいですよ、やっぱり。ホクロの多いお母さんの子供は、実際ホクロが多いです。

私の友達に、ブラック・ジャックのように斜めにビヨーッとホクロのある美人なやつがいるんだけど、それはざまぁみろですねぇ。美人で肌真っ白だったら腹立ちますもんね。その子は、ナチュラルメイクするのに一時間半もかかるんですよぉ。もう、腹立ちますよね。それで、普通の顔で「私、化粧ってあんまりしてないのぉ」とか言ってるんですよ。そういう人もいますからね。隠そうと思えば隠せるし。そんなに落ち込まずに、ナチュラルメイク一時間半かけてやってみるのはどうでしょうか?

★時計の前に座る子供★

さあ、さあ、さあ、さあ、おはがき読みましょうね。

「小林さん、スタッフのみなさん、こんばんは！！！！！」

元気ですねぇ。ビックリマーク五個。

「私の四歳の息子のことです。この子はいつも家の時計の前から離れません。『何してるの？』と聞くと、『時計の針が動くのを見たいんだけど、僕が見てると動かなくって、ちょっと離れると動くの。時計って、見てると動かなくなっちゃうの？』と、とにかく毎日、時計の前に座っているのです」

もう、なんか、可愛くて仕方ないっていうこの親馬鹿系の空気が伝わってきますねぇ。

「私としては外で元気に遊んでほしいのに、頑として時計の前から動きません。息子、四歳、マコト。どんな人間になるのでしょう？　心配」

うーん。子供って時計が好きですよね。家の近所にね、小児科と内科がくっついてるお医者さんがあって、風邪ひくと必ずそこに行くんですけど。そこに子供が喜ぶディズニーの人形が出てくる時計があるんですよ。うるさいのね、あれ。

三時とかになると、♪ニャニャニャニャン、ニャンニャン、ニャニャ、ニャンニャンニャン〜ってミッキーとかドナルドとかいっぱい出てきて、グルグル、グルグル回るんですよ。

いつも「うるさいなぁ」と思ってるんですけど。それがなんかね、時計の横のところにポッチがついてて、そこを押すと時間じゃなくても出てくるんですよ。そうすると、ズル賢い小憎らしい子供がね、病気なのをいいことに、お母さんに「もう一回聴きたーい、もう一回聴きたーい」とか言うんですよ。

でもね、こっちはなんかグッタリして、「ダルい」とか言ってるのに、お母さんは「じゃあ、一回だけよ」とか言って、ボタンを押してね。ぜんぜんもう二時三十八分とかそのぐらいなのにね、♪チャンチャカチャンチャ、チヤッチャッチャー〜ってなんかディズニーの音楽が流れて、すごい腹立つんですよ。ムッチャ腹立つわ、あれ本当にもう。

まあ、戻りましょう、はがきにね。

「どんな人間になるのでしょう？　心配」

ま、これはあれでしょ、あの、時計関係の仕事に就《つ》くっていうのは、あまりにもありきたりなので、そうねぇ……針に関係ある仕事がいいんじゃないですか？　お灸《きゅう》とかそういう。なに？　それ。注射？　シャブ系ってこと？……危ない。安藤社長や政宗さんが勝手なこと言ってますけど。なになに？お裁縫？

あ、お裁縫だそうです。まあ、息子さんでも、今あの、男の方でも編物とかする方いますし。男性の方でお裁縫やる方がいてもいいんじゃないでしょうか？

そうそう、このあいだテレビ見ててビックリしたのが、NHKの『おしゃれ工房』。あれにね、編物講座があるんですよ。それでね、なんかショートカットの男の人が講師で出てたんです。

橋本治さんとか編物するじゃないですか。だからいいんだけど、なんかその番組の講師の人ね、最初は女かなと思ったの。べつに見かけが女っぽいんじゃなくて、顔はどう見ても男なんだけど、着てるものがなんか襟にフリルのついたブラウスなんですよ。で、「えっ？」と思って、「ちょっと見間違ったかな？」と思って、またその人が出てくるまでずっと見てたら、男だったんですよ。

で、「僕がこういうふうにやるのは」って、べつにカマっぽい喋り方じゃなくて、普通に喋ってるんですけど。「この前身ごろはこうなんですけど」ってまさに男らしく喋ってるのね。でもピンクのセーターに、フリルのついたブラウス着てるんですよ。

あの人いったい何者でしょう？　ちょっと気になって、テキスト見てたら、載ってました。気になるお方、ちょっと『おしゃれ工房　編物教室』見てみてください。まあ、息子さんもそういうのもいいんじゃないですか？　ね？

★限定に弱い夫★

「〝案じるより団子汁〟が妙に気に入っている私です。ひとつアドバイスをしてください」

はい。

「ウチの旦那様は、『限定』という言葉に妙に弱いんです。本、CD、LD、果ては秋季限定販売のポテトチップまで手に入れてしまった限定品に弱い主人を、なんとかしてください」

「限定」という言葉に妙に弱いっていうんですか。そうですね、こういうの「なんとかしてください」って言われてもねぇ。

限定っていうのはやっぱりみんな欲しいですよね？　欲しいですよ。でもね、限定品はね、私はべつに欲しくないんです。どっちだぁー!?　ハッキリしろー！　私ね、限定品で唯一自慢できるものはね、人からもらったんですけどあれかな？　キース・ヘリングの腕時計。スウォッチのやつ。昔、出てたんですけどね。それね、昔ね、七千円、とかそんなもんでね。キース・ヘリングが死んじゃってさ、価値が上がっちゃって。つい五年前？　三年ぐらい前？　その時に、キュ、キュ、キュ、九十八万円！　九十八万円よ！　それを私、惜し気もなく、したままスキー場に行って転んだりとかして、雪まみれになって、みんなにヒンシュク買ってんの。「やめなさい」とか言われて。だって、ものは使わなきゃね。見るだけのそういうものっていうのはね、ダメですよ、使わないと。

だから、いいんじゃないんですか？　この旦那さんは。ＣＤは聴けるし、レーザーディスクは見れるし。本は読めるし。あと、ポテトチップは食べたらなくなるし。

限定ねぇ。ふーん。いいんじゃないですか？　限定という言葉に妙に弱いあなた。

限定といえば化粧品もよくありますね。限定化粧品ていうのはなんか、小《こ》洒落《じゃれ》たポーチに入っていていいんですよね。そうそう、そう。

でもね、ああいうのはね、なんでしたっけ？　よくデパートとかウロウロしてるとはがきとかくれるじゃないですか。クリニークの制服着たお姉さんとかが「あの、お試しセットです。お安くなってます」とか言って。で、行ってそれだけ買おうとすると、何かを買わされるんだよ！　遠藤さま。そうでしょ？

そうそう、遠藤さまはこのあいだダイレクトメールで、「あなただけに千円エステお試しコース」っていうはがきもらったんですって。それで行ったんですよ、成城学園前の「エステ・デ・なんとか」。千円でエステやってもらい、そして挙句《あげく》の果てに三万円のお試しコースを買わされて帰ってきたという。

そう、限定品ていうのはね、そういう危ない影が潜《ひそ》んでいるんですよ。本当に、気をつけてくださいよ。

まあでも、本とかCD、レーザーディスクぐらいだったらいいんじゃないですか？　でも、危ない限定品には気をつけてくださいって感じです。

　さあ、それではこのコーナーでは、あなたの悩みを供養させていただきます。供養のコーナー。チーン。ご愁傷様でした。

★左右の鼻の穴の大きさが違う★

さあ、今週もありがたいことに、お悩みきています。読みましょう。

「『まんが日本昔ばなし』に出てくる人たちは、どうしてあんなに美味しそうにご飯を食べるんですか？」

それは、美味しいものが昔はご飯しかなかったからです。本当だよね。ご飯はなによりのご馳走でした。だからね、ご飯を美味しそうに食べるんですよぉ。

今みたいにね、なんかポテトチップとかね、そんなの食べないの。

さあ、次いきましょうか。

「左右、鼻の穴の大きさが違うんです。左が大きくて、右が小さいんです。微妙にじゃなくて、一発見ればわかるぐらい、ぜんぜんまったく違うんです。ちなみに左の大きいほうは人さし指。右は小指でほじります」

答えわかってるんじゃないですか？　自分で。言ってくれと言わんばかりのあれじゃないですか。だからぁ、左はあんたが人さし指でほじるから大きいのよぉ。右はあんた、小指でほじるから小さいのよぉ。それだけのことでしょ？　本当に。頼みますよ。

面白いですねぇ。こういうの。そうそう、鼻の穴といえば私にも鼻の穴に関する疑問があるんです。「車が赤信号で停まっている時、なんで運転手は鼻をほじるんだろう」っていうやつですけど、そう思いません？　この質問、誰か答えを教えてください。

さあ、あなたの低次元な悩み、いいですねぇ。今日のこういう悩み。あ、合掌したほうがいいのかな？　合掌！　南無～。今日は南無～でいってみました。

★赤信号で鼻をほじる★

さあ、ついに私の悩みに答えてくれる人が現われました。

それは、いつも気になっていたことなんですけど、信号待ちで停まった時に、前の車のオジさんとか横の車のオジさんとかが必ずルームミラーのぞきこんで鼻をほじってるんです。それはなんでかな？　と思って。いつも疑問に思ってたんですけど、はがきが来ました。

「聡美ちゃん、こんばんは。先日の放送を聴いている時、郵便局のポストの前に車を停めたんですよ。その時となりの車のオッさんが、鼻を無心でほじっているのを発見してびっくり。車に戻ったら、〝団子汁〟のコーナーをやっているところで、いきなり聡美ちゃんが言うじゃありませんか。思わず大笑いしてしまいました。ただの癖だとは思いますが、常に人に見られていると意識している人なら、あんなみっともないことはしませんよね？　もうモテることもない、侘《わび》しいハゲ中年になって」

ハゲとは書いてないけど。

「ハゲ中年になって、つい鼻をほじってしまうんですよ。今、鼻をほじってるオジさん。今一度花を咲かすためにやめましょう」

だって。じゃあ、これは常に人に見られていると意識してないってことですかね。もう人生捨ててるってこと？

でも、なんかついさ、車のなかってちょっとリラックスしちゃうよね。うちの社長はべつに車乗らなくてもいつもほじってるけどさ。またこれがいい鼻の穴の形してんだ。だから、お金もどんどん出ちゃうしね。なぜって、鼻の穴が前に向いてる人は、ぜんぜんお金がたまんないらしいですよ。

でも、北島のサブちゃんさ、思いっきり前向いてるじゃない、鼻の穴。それなのに、なんであんな豪邸に住んでんの？　八王子だっけ？　丘の上よ。もう、すごい高いところにあってね。なんでこんなこと知ってんの？　私。部屋、三十個って言ってたよ。すごいでしょ？　どういうことかね、これは。

そう、だからね。オジさん、あんまり鼻の穴ほじると、鼻の穴が大きくなってお金たまらないから、やめたほうがいいですよ。

★黒い服しか着ない妻★

「聡美ちゃん、私の悩みを聞いてください。うちの奥さん、真っ黒なんです」

これは最初、顔が真っ黒なのかと思ったんですけど、違うらしいんですよ。

「黒い服しか着ないんです。先日も家族みんなで写真を撮った時、ひとりだけ真っ黒な服で、しかも日陰にいたもんだからほとんど写ってません」

怖いです。

「なんとか赤い服なんか着せようとしたんですが、どうしても着ません。聡美さんから、ぜひ赤い服を着るように『カヤノ、赤い服を着なさい』って言ってやってください」

どうもありがとうございます。豊橋市のペンネーム、トミーさん。どの面《つら》下げてトミーなんでしょうか？　ね、本当に。これね、お歳を書いてないいんですよね。だから、いったい何歳ぐらいの方かわからないんですが、まあ、このはがきの感じだと結婚してお子さんがいらっしゃらない。黒い服。でも、黒い服っていうのはなんか、一見お洒落ふうに見えて、無難な感じなんですよね。だからこの方はきっと家でも「結婚しても所帯じみたりしたくないわ」って黒い服を着て……。家のなかでも黒いのかな？　これ。そうだよね。

綺麗好きな方にならら有効の、黒い服を脱がせる方法があります。それは猫を飼うことです、家に。猫はね、可愛いんだよ。だから思わず抱っこしてしまいます。するとあなたのお気に入りのお洒落な小ギレイな真っ黒な服に、猫の毛がショワショワショワショワっとつくんですよ。たまりませんね、これは。そうすると目立たないグレーとかね、黄色とかね、そういう明るい色でも着てみっかなっていうふうになるんですよ。

まあでも、この黒い服ねぇ……。でもね、黒って腐るらしいですよ、ものが。ホント、ホント。果物とか、黒い袋に入れておくと腐りが早いんだって。ほら、今、赤パン健康法とかあるじゃないですか。赤いパンツはいて健康になるとか。本当は、黒とかはね、よくないんだって。それ、どうですか？

健康の面から言ってみるっていうのは。

でもね、このご主人もね、あれだと思うな。奥さんに赤い服を着せたいとかさ、なんかピンクハウスみたいなさ、ベロベロした服を着せたいとか思ってんじゃないですか？　なんで男の人、ああいう服好きかね？　ピンクハウス。なんで売れてるの？　売れてるんだよね、きっと。でも、見かけないよね、お店の人が着てるのしか。みんな家で着てるのかな？　もう、いいんじゃないですか？　黒い服。

「あんた、黒い服ばっかり着てると身体腐るよ」

って一言いってあげて、それでもダメだったら、もういいじゃないですか。生命保険でも掛けて黒い服を着させ続ければ。そんなふうに思うんですけど。

かつて、黒い服の時代っていうの、ありました。そして流行っていました、黒い服。コム・デ・ギャルソン、ヨウジ・ヤマモト。まあね、ポリシーがあって黒しか着ないっていうのはいいと思うんですよ。

でもね、歳とるとさ、黒着てると老《ふ》けて見えません？　ね。歳とってお婆ちゃんとかになるとピンクの服とかさ、着たりするじゃないですか。ああいう年寄りになりたいねぇ、私ゃ。だから、私は最近は黒い服ほとんどないです。猫飼ってるっていうのもあるし、さっき言ったように。あのね、そう思いますよ。猫とか飼ってると黒い服着れないから、動物飼うのはどうですか？　犬とか。犬とかも毛は抜けるんでしょ？　そうしなさいよ、もう本当に。もう、お願いしますよ。

さあ、妻もさ、若々しくさ、旦那が赤い服着てほしいって言ってんだからさ、着てあげたらいいじゃないですか。

「カヤノ、赤い服着なさい！」

ほら、言ってやりましたよ、トミー。

★水虫★

「聡美さん、こんにちは。はじめまして。いつも楽しく聴いとります。今日は私の悩みを解決していただきたく、お便りを出しました」

だからこれは解決しないんだっつうの、ね。

「私は最近、水虫ができて悩んでいます。とてつもなく痒《かゆ》い。私の足、すべてが水虫になってしまいました」

汚ねえやつだなぁ！　こいつ。汚ないやつだね、こいつ。

「仕事柄、水がよく足にかかるからかな？　私は給食を作る仕事をしています。この痒み、聡美さんのお知恵をお借りして解決したいので、お願いします」

だって。これ、給食作る仕事って、長靴履いてるよね。素足で「おぉーい！」とか言って、ピチャピチャ歩いてるわけじゃないでしょ？　長靴履いてるから蒸れるんだよ、これ。

あなた、あれ、履いたほうがいいよ、軍足。ほら、指が分かれてるやつ。肉体労働者の方が履いてるやつよ。作業着屋さんとかで売ってるやつ。

作業着屋さんは面白いね、たまに行くと。なんかガスマスクとか売ってるんだよね、あれ。ビックリしちゃった。私、お土産にしようと思ってガスマスク買ったら、中のフィルターがないと使えなくって、それでただのゴミになってしまいましたけどね。そういうの、いいんじゃない？　ね？　あれは麻？　綿麻？　綿なのかな？　綿百パーセント？　なんか、そんなの履いたことないからわかんないけど。

あとはほら、通販とかで、「シルクの指割れソックス」とかあるじゃない。私も持ってますけど。あれいいんじゃないですか？

でもこの水虫はね、本当に、なったことある人じゃないとわかんないらしいね、この苦しみは。あります？　ないよね。え？　それ、言っていいの？　インキン？　インキンと一緒？　これ、ＴＤの渡辺君が言ったの。インキンて何？「男にしかわからないつらさ」だってさ。

それと一緒にされちゃったよ、あなた。いいの？　そんなことで。インキンだって、私が言ったんじゃありません。だからね、職業は関係ない。長靴がいけないんだと思います。あと、家に帰ったら素足になるのがいいんじゃないの？　遠藤さまは去年、水虫じゃなくてしもやけになったらしいけど。

遠藤さまは、「お風呂入って、足の指の間を拭かないのが悪いんじゃないかと思って拭いてた」とか言ってんの。そりゃ水虫とかならわかるけどね、しもやけはべつに、濡れたってならないでしょうよ。冷たいとこ、寒いところで足出してたら固まるかもしんないけどさ。ちょっとなんか、話してることが低次元って感じ。

★ 娘が冷たい ★

「聡美さん、こんばんは」

これはね、青森県。東北ですね。青森県八戸市の四十一歳主婦。ペンネーム、チャゲ&飛鳥。何を考えているんでしょう？　この主婦は。あんた、チャゲ&飛鳥はもういるのよ、実在の人物が。本当にもう。失礼しました、年上の方に向かって。

「聡美さん、こんばんは。口コミで『東京100発ガール！』を応援している、青森県は八戸市の主婦ペンネームチャゲ&飛鳥でぇ～す」

でぇ～すって。

「きっと、ここで一発なじられるかと」

すごい読み！　読んでらっしゃる。

「どっこい、青森県でも根強いファンはたくさんいますよ」

ありがとうございます。

「ちなみに十六茶、八戸でロケしてください。エキストラででも出たいよ〜ん」

だって。八戸って何が美味しいんでしょうね？　ハタハタ？　本当？　魚とかそういうのかね？　まあ、そう私、言っておきます、アサヒの人にね。

「私は高一を頭《かしら》に、下は小一まで産みまくって四人の子持ちです」

ハタハタのようですねぇ。卵がいっぱいって感じで。

「じつは、高一の娘のことで相談があるんです。長女ということもあり、すっかり頼りきっている私ですが、最近、娘が冷たい。わかります。私もこの時期のことを思い出して、理解しているつもりで接しています。でも、流行の速さというか、そういうものに最近ついてゆけず、悩んでおります。ちょっと距離を置き、見守るか、何をしてやったらいいのか聡美先生、アドバイスくれ」

これ、こんな深刻な悩み、私に送っていいの？　ねぇ？　これはね、しょうがないよね。これ、マジな話だけどさ、ねぇ、奥さん。これ、娘は親が、「あ、冷たいな、淋しいな」と思ってるのわかるんだよね。親の気持ちっていうのを、たぶん。それで娘は、ただそれを見て、でもよけいになんかちょっと、「そんなふうに思っている親に優しくできない自分が口惜《くや》しい」「もどかしい」みたいな感じでね、ワザと、さらに、冷たくしちゃったりなんかするんですよ。これはしょうがないの。もう、娘は巣立つ時だと思ってね、もうその子供は死んだものと思って、いないものと思って、ほかの子供を可愛がってください。

でも、どんどん下の子供も次々そうなると思うけど。もうあとはね、夫婦で仲良くしてください。うちなんか親が仲悪いからさ、そのうえ子供もちゃんと相手しないから、可哀想なんですよ。あなたもそんな老後にならないように、夫婦仲良く。子供のことは、もう高一なんだからさ、まあ悪いことしたら怒んなきゃいけないけど。

でも、怒るっつったってもう十六とか十七でしょ。本人の意思に任せて、放っておいたほうがいいですよ。ま、可愛いのはわかりますけども、本当、死んだと思って。殺しちゃまずいけど。自分のことを、老後のことを考えて夫婦生活というか、夫婦仲良くしたほうがいいと思います、本当に。

私とかも、なんかこういうおはがき読むと、ドキッとしますね。嫁にいってるのに、優しくできない私、ちょっとドッキリって感じですけど。そうなんです。でも、親が好き勝手やってくれたほうが、子供は気が楽です。

というわけで、本当に、これからは自分のことだけ考えて楽しく過ごしてください。

★みかんの食べすぎ★

さあ、読ませていただきます。

「『東京100発ガール！』〝案じるより団子汁〟様」

これ、「様」つけなくていいんだよ、「様」は。コーナーの名前なんだから。

「聡美さん、はじめまして。私のくだらない悩みは、みかんの食べすぎなんです。学校で市のロードレースの選手に選ばれて」

ああ、すごいですね。

「市のロードレースの選手に選ばれて、ある日の放課後、二千メートルをみんなでダァーッと走った後、みんなはハァハァハァといって真っ赤な顔をしてるのに、私だけ日頃のみかんの食べすぎでその日も真っ黄っ黄になっており、走った後だったので体温が下がって、真っ黄と真っ青で私だけ顔が緑色になり、保健室に連れていかれてしまいました。保健室の先生には、『あなた、なんか変なもんでも食べたの？』と言われ、私としては『みかんです』と言うこともできず、大変恥ずかしい思いをしました。聡美さん、どうすればいいでしょうか？」

ペンネーム、案じるよりみかんさん。そりゃ、みかん食うのやめりゃいいんだよ。本当に、簡単なことだよ。これ、「カロチン野郎」の一種ですね。カロチン摂りすぎです。私の友達でもね、いい歳した人なんだけど、なんか「健康にいい飲み物考えたの」とか言ってね、毎日、人参とオレンジをジューサーにかけて飲み続けてたらね、気がついたら手足真っ黄色になってしまった、ノリちゃんていう人がいるんだけどさ。本当に真っ黄っ黄になってしまいました。おかしいね。

でも、あれって、みかん食べるのやめたからってすぐ治るもんじゃないんですよね。なんかないんですかね？　食べることで中和させて、黄色いのを消すような食べ物っつうのがね。え？　ニンニク？　酒？　どっちじゃ？　ああ、べつにニンニク食ったら……言葉悪い？　ニンニクいただいたら、黄色がなくなるとか、そういうことじゃないらしいんだけど。

あ、そうそう、ニンニクの臭いって、何を食べれば消せるのか、知ってます？　牛乳って思ってんでしょ、みんな。じつは黒砂糖がいいらしいんですよ。

このあいだね、このあいだっていっても十年ぐらい前だけどね。テレビで実験やってたんですよ。ニンニクを食べた人が牛乳を飲んで電話ボックスに入って、そのうえ、オバさんたちでギュウギュウ詰めになるのと、ニンニク食べた人が黒砂糖食べて電話ボックスに入って、オバさんたちでギュウギュウ詰めになって、「どっちが臭かった？」ってオバさんたちに答えさせる、っていうすごい実験やってて。黒砂糖食べると本当にニンニクの臭いが消えるらしいですよ。ぜひ、一度お試しあれって感じです。まあ、みかんの食べすぎっていっても、べつに身体こわしませんから。好きなものはどんどん食べたらいい。人生一度きりですからね。好きなもん食べて死んだって、それは本望ですよ。いいんじゃないんですか？　どんどん食べてください。でも、もうみかんの季節はそろそろ終わり、苺の季節ですね。苺食べると、顔、赤くなるのかしら？　なるわけねぇだろ。

★髪を短くすると男になる★

（うちの）社長は「豊川悦司みたいな髪形だ」って人に言われて、前髪を自分で切ったらすごい変な頭になりました。

春になるといろいろと髪形を変えたくなるわね、みなさん。でも、私や社長はショートヘアじゃない？　だから、一度切ってしまうと伸びるまで時間がかかるから、長い髪はなかなかできないのよね。

でも社長ってさ、外国に行くと、必ず男に間違えられるよね。髪形は見るからに男みたいだけど。今の髪形もね、三分間写真撮ると囚人のようだしね。女囚みたいなんだよね。

そんな身内の話はどうでもいいんですよ。本当に春になると髪形を変えたくなるものですね。私は髪の毛は小学校にあがるぐらいまでは、背中ぐらいまでありました。で、ウサギちゃんみたいにして結ってたの。可愛いでしょ。

でもね、うちの父親がショートカットが好きで、とうとう髪の毛切られたんです、私。で、それから髪の毛が伸びてくるとすぐに切らされて。それからはずっとショートカットで、知らないうちに前髪だけどんどん伸びて、バカボンみたいな髪形になったりとかもありましたけど。今もずっと髪の毛長くしたいんですけど、似合わないいんですよね。なんでだろうね。顔が悪いからってことですかね。

やっぱりロングヘアって憧れるわよね、安藤社長。

さあ、おはがき読んでみましょうかね。まずはこちらです。ペンネーム能天気さん。

「聡美ちゃん、ちょっと聞いて。髪を短くすると男になっちゃう私。性別があやふやになっちゃう。男顔の私をなんとかして」

そりゃ、やっぱ社長に相談しないとね。だって、社長ってね、外国行くと必ず「ミスター」って呼ばれるのね。あとはほら、「サー」ってあるじゃない。「イエス、サー」の「サー」ってあるじゃないですか。「サンキュー、サー」とか。「エクスキューズ・ミー、サー」とか言ってね。「旦那、すいません。ちょっとどいてください」って。必ず旦那になる。あと、女性トイレに入ると悲鳴があがる。「Oh! No! Men's coming!」って。それで、みんなに水かけられたっていう、そういう経験を持つ社長ですけどね。どうしたらいいですかね、これ。えっ？　スカートはけばいいの？　でも、スコットランドの人と間違えられたりして。間違えられないかしら。大丈夫かしら。でも、男顔でもほら、女の人って首とかが細いじゃないですか。本当に安藤ババの話ばっかりで申し訳ないんですけど、安藤社長はね、首とか手首とか足首とか細いんですよ。顔とかも。だからね、中身がどんなに太ってても、華奢《きゃしゃ》に見えるんだよね。「痩せましたねぇ」とか言われるんだよね。ぜんぜんもう、洋服のひだのしわしわまで全部ボディコンなのに、なんかすごいタルタルにたるんで見えるんですよ、服が。得な体型ですよね。

男顔でも、着てるものが女の子のものだったらいいんじゃないの？　スカートはいたりすれば。

ゲストのコーナー

桃井かおりの㊎巻

小林　さあ！　大物ゲストだよ。これ、ちょっといいの？　地方の番組で、東京では放送しないんだよ。今日はこの大物ゲストのために特別にたった三本の薔薇《ばら》を用意させていただきましたけれども。気に入っていただけるでしょうかね？　さあ、すごいです。記念すべき第一回目のゲスト。自己紹介していただきましょう。

桃井　松任谷由実です。

小林　どうも、ユーミン。今日はありがとうございます。

桃井　本当に久しぶり。

小林　ええ、私の曲も書いていただいてはや何年になるって感じですけど。幻のCDの夢のリリース……嘘ですよ！　さあ、もうおわかりですね。今日のゲストはですね。桃井かおりさんですよぉ！　私がボボイよ。

桃井　どこが似てんのよ？　それ。

小林　ボボイよ。

桃井　昔のほうがぜんぜん似てたね。

小林　ボボイかおりです。どうも、お久しぶりです。

桃井　会ってなかったんだよね。

小林　十年近く会ってないですよ。だって、お初にお目にかかったのが私がたぶん、二十歳とかそのぐらいですもん。

桃井　三十になったの？

小林　なっちゃったですよ、もう。

桃井　あら、やだ。奥様どーも。

小林　マダム小林と呼んで。

桃井　今日さ、今日の放送までに（結婚が）バレてなかったら私、絶対に放送で喋っちゃおうかなと思って。本当にドキドキしてたんだから。

小林　だから、かおりさんに合わせて発表したんですから。

桃井　どういうことなの？　あれは。ねぇ、聡ちゃん。

小林　そういうことですよ。

桃井　ずーっと付き合ってたの？

小林 ううん、ずっとじゃないけど……。

桃井 結婚に踏み切ったわけは何？　ポイントは？

小林 そりゃやっぱりねぇ、いろいろあるんですよぉ。でも、妊娠してないですよ、まだ。

桃井 やっぱり聞かれたの？

小林 いや、ほら、いきなり入籍とかいうから、妊娠とかって言われるじゃないですか。妊娠はしてないですけどね。

桃井 愛に走ってもいいんだけど、結婚するのはなぜなの？

小林 結婚も一度ぐらい、ねえ、どんなもんかな……と。

桃井 なにそれ、当てつけ？　私に対する。信じられない、今の。

小林 グサッと？

桃井 久しぶりの友達にグサッだわ。もう、籍入れちゃったんでしょ？

小林 入れましたよ。かおりさんは、どうですか？

桃井 私、籍入れたことないもん。

小林　そりゃそうだけどさ。

桃井　大変だよ、親戚付き合いとか。

小林　だからね、結婚式とかね、そういうのもやんないし。

桃井　やろう、結婚式は。

小林　嫌だよ。

桃井　や・ろ・う♡

小林　私、友達家に呼ばないもん。

桃井　友達が来ない家庭つくりたいっていうの？　そりゃね、友達すごいもんね。

小林　ちょっとね。強力だから。

桃井　土足だよね。

小林　本当に。もう、放っといたら合鍵まで持ちそうだからね、部屋の。そうならないように注意したいですよね。

桃井　そういえばさ、私、（ご主人の）三谷さんと対談やったじゃない。あの時に「八ヶ岳にある聡ちゃんの事務所の別荘と、私の別荘がすぐ隣同士なんですよ」っていう話をして。「入り口はこんなでね」とかまで話したんだから。

小林　隣って。車で三十分はあるでしょ。

桃井　あの辺ではそのくらいはすぐ隣って言うのよ。ちょっとそこまでが一時間だから。それでね、ふたりの関係をまだぜんぜん知らない私は「お手洗いのなかにね、こんな本があったりなんかしちゃうわけなんですよ」なんて説明までしてたんだから。いったい、私はなんなの？　付き合ってるんなら、ふたりで行ったことあるでしょ？

小林　いや、そんなに来たことないですもん。一回ぐらいしか。

桃井　やっぱり行ったことあるんだ！　なのに三谷さん「へぇー」だって。あいつとぼけてますよね。これじゃ私間抜けでしょ？　聡ちゃんの話ばっかり振っちゃって。共通の知り合いが聡ちゃんとかしかいなかったのよ。それでね、「大変でしょ？　あの女たちに囲まれて。イジめられてません？」

って聞いたら「はい」とか言ってたよ、あいつ。

小林 それで集いには来たがらないのかなぁ。

桃井 でも、あの人の作品には出れなくなるよ。女優として損でしょ、それは。そこんとこどう考えてるの？

小林 でも、べつに女優として損だけど、そのほかでは楽しいからいいかな。

桃井 やだー、聡ちゃんたら。私が恥ずかしくなっちゃった、今なんだか。

小林 ざまぁみろー。

桃井 でもさ、もたいさん（同じ事務所のもたいまさこ氏）なんかが「これは三谷さんの復讐じゃないか？」って言ったっていう話があったの知ってる？

小林 『猫が好き』の時にさんざんイジめられた復讐？

桃井 そう。三谷さんに「あの時、怖かったでしょ？」って言ったら、「はい」って言ってたもん。「聡ちゃんの事務所の社長も怖いしね」って言ったら、「ううん、室井滋さんのマネージャーがもっとすごいから」って。だからね、ちゃんと仕事しようと思ってる青年作家はさ、この女たちに囲まれていじくられるだけいじくられちゃったわけ。で、手加減はなかったと思うの、私の知る限りでは。それで聡ちゃんを持ってくっていうのは、復讐じゃないかっていう話になったの。

小林 すごい怖い。

桃井 もたいさんもね、ぜひ花嫁姿を見たいと涙してるらしいからさ。

小林 本当ね、もたいさんお爺ちゃんみたいなんですよ。もう、爺やって呼んでんの。それまでジジイだったんだけど、ジジイじゃあまりにもちょっと可哀想だったんで爺やって。

桃井 ねえ、子供つくる計画あるわけなの？ また戻るけど、「結婚しよう」っていう男だったから結婚になっちゃったわけ？ どういうことなの？ それ。

小林 私はべつにそんな、結婚しようと思ってたから。結婚しないとは思ってなかったからさ。相手は誰にしろ。いつかは結婚するだろうと思ってたから。

桃井　私だって、ずっとそう思ってたわよ。「思ってたわよ」って言うのが大人になったでしょ。まだ思ってるわよ、私だって。でも、いかないでもすむものよ。

小林　どっちなんですか？　かおりさん。

桃井　いや、私はいかないと思うけど。でもどうしてなのよ？　聡ちゃんの苦手のタイプだと思ってたから、想像もしなかった。

小林　ぜんぜん苦手じゃない。

桃井　……飽きない？

小林　ぜんぜん。今のところはね。みんなに「おまえ、結婚は三日で飽きる」とかさんざん言われたもんね。でも、とりあえず三日は経ったからね。

桃井　だけどまだ一緒に暮らしてないの？

小林　だって、まだ家が整ってないから。

桃井　なんだかなぁ。急にオバさんみたいになっちゃって。昔はさ、まず暮らしちゃうところから始めたわけじゃないの。それで石橋をさ、叩き割るぐらい叩いてさ、これでもか、これでもか、そして結婚まで行きつくのが普通なのよ。形を作ってからそこにハマろうっていうのはちょっとな。聡ちゃん、大丈夫なの？　それで一カ月とかで別れたら嫌よ、友達として私。

小林　頑張りまーす。

桃井　一年は我慢しなさいよ。それから、離婚したら私、友達やめるから。三谷さんとるからね。自分の将来を考えて。それを最初に言っとく。

小林　その話もしときます。

桃井　新婚旅行。新婚旅行さ……。

小林　またその話か!?

桃井　そう。新婚旅行さ、行かせてあげたいのよ、友達としては。

小林　もう、本当に放っといてください。

桃井　ねぇ。新婚旅行に一緒に行こう？

小林　絶対嫌です。い・や・だ。

桃井　友達じゃないねぇ。最悪でしょう、新婚旅行ついていかれるの。すごくいいところあるからさ。連れていきたいな。アフリカなんだけど。

小林　そういえばアフリカ行ってたんでしょ？

桃井　仕事でゴリラのレポート。すごかったよ、それ。とにかく成田から発《た》って飛行機のなかで一泊よね、パリに着くまで。それからなんだかんだで四泊飛行機のなかっていうのだったのよ、スケジュールが。

小林　ええーっ？　だってナイロビってそんな田舎じゃないでしょ？

桃井　ナイロビからブジュンブラっていうところに飛んで、ブジュンブラからゴマっていうところに行って。難民キャンプのあるとこ。とにかくね、私、ひとりで行くことになったのよ。変にマネージャーと行くよりいいかなと思って。だから、誰かね、通訳の人か誰かスタッフひとり残してもらって一緒に行くことになったのね。そしたら「いやだぁ！　本物の桃井かおりさんですかぁ？」っていう変な女の人来ちゃってさ。それづれでアフリカ一カ月近く。もう本当、心底くたびれた。これ、東京は放送にならないって聞いて、安心して喋ってるのよ。

小林 そう、大丈夫、大丈夫。

桃井 とんでもないやつだったのよ。自炊なのに「私わぁ、通訳でぇ、メシたきに来たんじゃないんですぅー」なんていうやつなのよ。

小林 で、ミネラルウォーターかなんかで顔洗っちゃったりするんでしょ。

桃井 もちろんよ。

小林 そのゴリラがいたとこはなんていうんですか？

桃井 うーんとねぇ……？　けっこう四カ所ぐらい転々としたんだけど……。聡ちゃんもアフリカまでチンパンジーに会いに行ったんでしょ？　そこは？

小林 ……あれはどこだったっけな？

桃井 わかんないでしょ？

小林 とにかく移動がすごい大変じゃないですか、アフリカって。私はね、ダルエスサラームってところからね、二晩電車に乗って。キゴマっていうところまで行って。それでそっからもうボロボロの船、なんか矢切の渡しみたいなやつ。それに乗ってね、十二時間ですよ！　トイレなし。ズンドコドッド、ズンドコドッドって。もう死にそうって感じ。水飛沫《しぶき》バァーンバァーンて。屋根とかあるだけで、横にはぜんぜん壁とかないんですよ。で、船の真ん中にドラムカンとかが積んであって、そこに食料とかあって。こんな三十センチぐらいの幅に人間が座ってるの、つかまりながら。もうね、その船で行ったところは、タンガニーカ湖っていうとこだったんですけどね。そこはね、九州ぐらいあるんですよ、湖が。だからもう、海みたいに向こうが見えないの、ぜんぜん。

桃井　私もそのへんの、カフジビエガとかそういう感じの湖のそばにいたんだけど、場所がちょっとわかんなかった。

小林　わかんないのね。大変だったですよね、アフリカ。

桃井　つらかったー。つらかったって唸ってもしょうがないんだけど、大体そう思って行ったから平気だったんだけど、なんで行くんだろうね？　あんなに。でさ、映るとさ……。

小林 楽しそうなんでしょ!?

桃井 そう！ 映るとね、明るさがね、災いしちゃってね。なんか軽いノリに見えちゃうの。つらそうにしてないとさ。

小林 そうそう。

桃井 ほら、あんまりにもつらいから、明るくしちゃうわけね。

小林 で、その、明るいとこだけ編集してね。すごい楽しい旅みたいになっちゃうんですよね。

桃井 聡ちゃんは、一カ所だけ？ いろんな森にやっぱり行ったの？

小林 森っていうか、チンパンジーの群れは、もうそこにしかいないから、そこしかなかったんだけど。行くまではそのセレンゲティの国立公園とか。覚えてるね、ちゃんと名前。

桃井 私、このあいだ行ったのにぜんぜん覚えてない。

小林 もうキテるわね、かおりさん。でもね、面白かったけど、なんでチンパンジーに会いに行ってるんだろうって感じ。

桃井　そうなのよ。最後は「私、こんな苦労してまでゴリラに会いたくない」ってつぶやいちゃうよね。もう生活がメチャクチャに大変だから。ゴリラってどうとかって、興味の範囲を超えちゃってるわけ。「どうでもいいんじゃないかなぁ？」なんて思い始めて。それでもやっと慣れて傍《そば》に昼寝ぐらいできるようになって。

小林　ゴリラの傍で？

桃井　うん。それで、帰ってきてたまたま夜のドキュメンタリー番組みたいなの見てたら、手話するゴリラっていうのが出てきちゃった。それ見たら、やんなっちゃって。上回ってんだもん、そっちのほうが。今から、そのゴリラの番組作んなきゃいけないのかなと思った……ねぇ。

小林　ところで、かおりさん、私と共演したドラマ覚えてます？

桃井　あれは時々見る。あれはすごい。なんだっけ？

小林　『ハウスマヌカン故郷へ帰る』

桃井　あれ、なんだったんでしょう？　二時間ドラマ？　あれ、面白いね、今見ても。どうしてあんな馬鹿なことができたんだろう？

小林　本当ですよね。それであのドラマを撮影してる時ですよ。かおりさんに「聡ちゃん、ピアスしたほうがいいわよ」って言われて私はピアス開けて。「免許とりに行ったほうがいいわよ」とか言われて免許とりに行って。

桃井　あの台本に『四季の歌』を歌うって書いてあってさ。「聡ちゃん、これ本当に歌うの？　本気？」って私が言ったら、「大丈夫です。お任せくださいー」だって。

小林　違う。『青年は荒野をめざす』

桃井　『四季の歌』じゃないか。とにかく失恋をする場面を、これだけポップにやるやつは初めて見たなっていう感じで。

小林　この番組、こんなにまとまりがなくていいんだったらいいなぁ、毎週。なんか私ほら、性格真面目だから。

桃井　なーに言ってんのさ。そうよね、籍入れるとか。そういうキッチリしたところあるわよね。「住居が決まってから住む」とかね。それできっちり子供もつくる気なんでしょ？

小林 そりゃあそうですよ。

桃井 やらしー！　不潔！　正々堂々と子供つくろうなんて不潔！　考えられない、聡ちゃんの口からそういうこと聞くのなんて。ねぇ、親に挨拶に行ったりしたわけ？　向こうの親とか親戚に挨拶行ったりとか、三谷さんが「お嬢さんをください」とか言ったわけ？　やっぱり。

小林 いやぁ、それはだって……。

桃井 やったの？

小林 いやぁ……。

桃井 うれしそうでしょ、私。いや、本当に気持ち悪くなっちゃうな、考えたら。でもやったんだ？

小林 教えない。

桃井 でもよかった。私たちの関係者っていうかグループっていうか、この部族のなかで、ひとりぐらい結婚しなきゃね。普通のことやってほしいな、ちゃんと、私。近所付き合いとかやるの？　嫌ぁ、最低！　なんか気持ち悪くなっちゃった、聞いてるだけで。

小林　なにも、ひとりで喋ってひとりで気持ち悪がらなくても……。

桃井　だけどね私さぁ、本木君と三谷さんはほめてあげていいと思うの。モックンだって偉いでしょ。千帆（樹木希林）さんとさ、裕也さんと親類になるって。三谷さんは私たちと友達付き合いをしていくわけでしょ？　勇気あるよね。ねえ、今度だから、とにかく結婚式をやらせる会を作りますので、えぇと、聡ちゃんに結婚式あるいはパーティをやってもらいたいと思う人は、みんなでこちらに「頑張れ聡ちゃん」というはがきを。あのね、結婚式やらないと別れたケース多いのよ。

小林　だから、こっそりやろうと思ってるのに。

桃井　パーティは？　パーティやらなかったやつでね、幸せになったやついないって。パーティ内輪でやんないでパァーッとやろうよ。

小林　ええー？　でも、面子《メンツ》が怖いからなぁ。

桃井　私たちを泣かせてよ。私たちね、感動なんて最近ないのよ。

小林　だって、ゴリラで感動したでしょ？

桃井　あれは仕事。勝手に丈夫に生きてねって感じだもん。元気でねって。もういいから私のことは忘れてちょうだいって、帰ったらもう三日目には思ってたもん。あっ、それから、業務命令。三谷さんに、何か書いてもらって。

小林　何を書いてもらうの？

桃井　ドラマよ、もちろん。あっ、私、頼もうか？　直接。あ、「お仕事、彼には頼めない」とかなんか今、こいつ、つぶやかなかった？　もうダメですね、これは。女優としてはほとんど使えないですね。

小林　ほっといてちょうだいっ。さて、そんなかおりさんの座右の銘をひとつ。

桃井　はい。「清く正しく美しく」です。

小林　……かおりさん。まあ、幸せになってください。

桃井　ありがと。

桃井かおりさんをお迎えして

「ほ、ほんとに桃井さん、来てくださるんですかー！」

かおりさんが、第一回目のゲストに決まったとき、スタッフ一同、諸手《もろて》をあげて狂気乱舞したものです。

しかし、この番組にとってはもちろんのこと、私にとっても、この世に生を受けて以来、初めてお招きするゲストが、かおりさんというのは、まったく無謀なことではないかと不安でした。それはまるで、命綱なしのクリフハンガーです。

そして、その不安は的中したのでした。

それにしたって、本当にいろいろ聞いてくれました、かおりさん。親にも言えないようなことを、まあ。

アタシゃ、恥ずかしいよ。

本来なら、ホステス（うっふ〜ん）である私が、おらおら〜、とロウソクのひとつでもたらして、かおりさんの知られざる顔をひきださなくてはならなかったのでしょうが、とりつくシマもなし。あの勢いです。どうみても、『かおりの一発ガール！だっつーの』という番組でしょ、これは。

かおりさんのパワーにつられて、私もギャー、ギエー、とものすごいパワー消耗しました。

こんなふうに、間をあけて会うと怖いので、これからはもうちょっと頻繁《ひんぱん》にお会いするのが、カラダのためにも良いかと思うのですが……でも、その帰り、後つけてこないでよ、かおりさん。

もたいまさこの巻

小林　明けましておめでとうございました。もう六日ですから「した」。おせちも食べ飽きましたよね。でもなんか、今日せっかく遠藤さまが持ってきてくれたっていうおせち料理のお重があるので、ちょっと開けてみましょうかね。よいしょ。カビ生えてんじゃないの？　これ。大丈夫？　作ってきたっていうから。練ったの？　これ。一段目、蒲鉾《かまぼこ》ばかり。二段目、金時豆。三段目、もたいさんが出てきました。すごいです、この遠藤さまの演出。暇ですねぇ。もうちょっと働いたほうがいいんじゃないですか？　もたいさんのさまざまな新聞の記事と、もたいさんの好物、かっぱえびせんがここに入っていますね。今、ため息が聞こえてきましたが……。

もたい　懐かしいねぇ。

小林　今日はありがとうございます。

もたい　本当に。『スター千一夜』に出るのが夢だったんですよ。

小林　お正月はどうでしたか？　何してたの？

もたい　何にもしてないよ。お正月とかクリスマスとか大嫌いだもん。もう、人が浮かれてんのよくないよ。正月早々に呼んでくれて、どうもありがとうよ。

小林　まだ寝たい頃だよね、じーさんはね。あ、じーさんだって。あの、私、もたい先生のことをですね、じーさんと呼んでるんですよね。

もたい　そうそう。

小林　もたいさんとの出会いはですね、タラリーン！　私が十九の頃でしたね。

もたい　そう、十九なんだよね。

小林　っていうことは、もたいさんはえぇと、私と十三違うんだから、三十二だよ！　若かったね。なんだよ、子供だったね、まだね。今、私三十よ。でも、あの時から変なかつらかぶって、かみさん役やってたよね、ビートたけしさんのね。『OH！たけし』っていうバラエティ番組があって。そのバラエティ番組のなかのコーナーで、〝北の家族〟っていうのがあったんだよね。北野武さんがお父さんで、もたいさんがお母さんで、弟が？

もたい　島崎君で。

小林　私の弟だよ。私の弟がヒップアップの島崎さんで、私が長女だったんだよね。

もたい　ヨシコとヨシオね。

小林　で、お母さんは名前がなかったよね。

もたい　「お母さん」だけでね。お父さんも「お父さん」だけで。

小林　あの時メガネかけてなかったんだよね、もたいさん。その頃のね、新聞記事があるの。なんか、すごい記事。十年前の。「この人の身の上調査。占いの人から三十六で結婚すると言われて、今から楽しみにしています」だって。

もたい　そんなことあったんだね。

小林　占いは当てになんないねぇ。

もたい　当たんないよ。三十六、もうとっくに過ぎちゃったもん。本当だよね。すごいよ、四十三になって、今年あんた、四十四だよ。年明けちゃったもん。

小林　ちなみにあの、同じ歳の女優さんを、ちょっと並べてみてくださいよ。

もたい　えぇと、桃井かおりさんでしょ、松坂慶子さんでしょ、ピーターでしょ。女優じゃないって。

小林　あと、お誕生日が賀来千香子さんと一緒なんだよね。で、天秤座のO型なのね。

もたい　O型なのね。

小林　それから……すごい面白いよ、この昔の記事。

もたい　私、読んだことないのばっかりだよ。

小林　だってね、十年前はね、メガネかけてないよ。この怪しげな、なんかセクシー路線だよね、この写真。どう？　この怪しい上目遣い。

もたい　それ、前の事務所だもん。

小林　東京乾電池の頃だね。劇団は3〇〇だったけど。それでだって、「亭主元気で留守がいい」昭和六十二年の写真。

もたい　まだ劇団やってたんだ。

小林　この煙草くわえて山崎ハコのように。

もたい　老けてるね。

小林　変わんないよね。ってことは、歳とってないってことじゃないか?

もたい　そうか。そうなの?

小林　このメガネもこの時から変わってないじゃん。

もたい　でも、同じものをね、何回か作り替えてるんだよ、これでも。気ぃ遣ってね。

小林　お洒落だから。そうだよね、最近メガネ、仕事ごとに替えてるもんね。あの、もう一個、面白いのがね、平成元年のね、東京中日スポーツ。私のコメントも出てるんだけどね、「女優の小林聡美さん……素敵です。仏のように優しい方です……」。この頃はねぇ、まだ優しかったんですねぇ。今ではすっかりもう、怖いですけれども。

もたい　ねえ、怖い怖いって言うけど、本当に私、怖いかね?

小林　聴いてらっしゃる方は、みなさんもたいさんていう方はなんか、なんていうかな？　話のわかる優しくて静かなお姉さんて感じ？　だけれど、実際は怖いよね。だってじーさんあれでしょ？　売られた喧嘩《けんか》は絶対買うんでしょ？

もたい　それは座右の銘だからね。だってあんたね、自分からは売っちゃいけないよ、喧嘩っていうのはね。でも売られたらね、「さよなら」っつって尻尾《しっぽ》巻いて逃げるっていうのもね。売ったほうに悪いかなぁと思って、それじゃあ買ってあげましょうかって感じになるんですよね。

小林　もう、喋り方からもわかるように、下町チャキチャキの人です。

もたい　口が回らないだけだっつうの。

小林　もう「シが昇る」になってしまいますよね。

もたい　そうそう、そう。

小林　売られた喧嘩といえばじーさんは、有名な話としては地下鉄で？　傘でサラリーマンと闘ったっていう。

もたい　それもあったね。向こうは酔っ払ってたけどね、もちろん。

小林　酔っ払いでも関係ないんだ、喧嘩は。

もたい　関係ないよね。

小林　売られたらやるって感じだよね。怖いですねぇ。優しい顔の皮をペロッと剝《む》けば、狂暴な喧嘩マニアがここにいると。あとなんか、トラックの運転手にも何か言われたら「うるさいんだよ！」とか言うんでしょ？

もたい　「うるさいんだよ！」とかっつって、「そこどけよ！」みたいな言われ方すんじゃない。そうすっと自転車なんか乗ってるとね、やっぱしメンチ切らなきゃいけないかなっつって、悪いかなと思うわけよね。そうすっと、トラックが追いかけてくるから、もう走って逃げる逃げる。チャリンコで。

小林　それ、逃げてんじゃゃん。喧嘩売って逃げてんじゃゃん。

もたい　そうだよ、とりあえずはね。

小林　真の姿は怖ーい……。みんな言ってる。

もたい　極道じゃないってよ。いちばん近しい小林さんに答えてもらおうじゃないの。

小林　怖いですー。もたいさんへ質問するのも怖いですー。でもやりますー。座右の銘は？　さっき言ったよね。売られた喧嘩は……。

もたい　買うよ、と。

小林　あと、あれでしょ？　ご飯を食べながら汚ない話をするっていうのも。

もたい　それ好きだね。

小林　これ、座右の銘と関係ないけどね。お兄さんとよくやったんでしょ？　カレーを食べながら、どれだけ気持ち悪くなれるかっていう。どれだけ気持ち悪さに耐えられるかっていう……。我慢大会っていうの？

もたい　やったやった。

小林　じゃあ次、趣味は？

もたい　趣味ないよ。

小林　洗濯とか好きだよね。

もたい　あれ、趣味かね？　スキーも好きだけどね。

小林　あと、あのシュノーケリング。シュノーケリングっていうか素潜り？

もたい　潜んないもん。浮いてるだけ。素浮かび。

小林　けっこうあの、歳食ってから始めたんだよね。三十代までは地味。哲学のような本を読み続け、少女マンガを読み。

もたい　なんで遊び始めたかっつったら、聡ちゃんが初めてユーミンのコンサートに連れてってくれたから。

小林　葉山マリーナだったかしら？　あれは。十年前？

もたい　あれからよ。転げ落ちるように不良になっていったの。

小林　最近ではカラオケもたしなみ……でももっぱら、橋幸夫とかね、吉永小百合とかそのへんですけどね。

もたい　話の腰を折るようだけどね、私、たまに聴いてっけどさぁ（この番組をテープに録音したもの）、もう本当、四十過ぎには耐えられないくらい早口だよね。手紙来てたでしょ、オバさんから。

小林　うん。怒られた。「生意気だ、あんたは」って。

もたい　速記する人のね、養成講座みたい。どれだけこれで速記できるか？　みたいな。もう、年寄りには聴けないよ。クリーニング屋のオジさんだって、仕事しながら聴けないよ。

小林　聴いてないかなぁ？　仕事の手を休めてるかな？

もたい　休めちゃうよ、これ。あんまり早口で。

小林　じゃあ、今年はとりあえずちょっと、ゆっくり喋る。もう、このあいだも言ってたんだよね、それね。しかし、ちょっとやっぱりねぇ。

もたい　直んないよね。

小林　三つ子の魂百までだからね。

もたい　勢いついてるよね。

小林　そう？

もたい　籍入れてから勢いついてる。

小林　なに？　それ。入籍してからってこと？　それはそれ。社長が仕事いっぱい入れるから、私も早く喋れば早く終わると思って頑張ってんのよ、私だって。

もたい なるほど。

小林 なんか、そういうのない？　早く喋ると早く終わるんじゃないかって。

もたい そういう気持ちはあるね。

小林 でも、よく考えてみると、早く喋るともっと喋んなきゃいけないんだよね。

もたい 疲れるだけだっていう話なんだけどね。いろいろ苦労してるね、嫁もね。

小林 本当です、ええ。おかげさまで。さあ、もたいさんはね、本当に洗濯が趣味なんですよ。趣味っていうか。でも、このあいだ人のウールのセーター洗って縮こまって、すごい折檻《せっかん》されたんでしょ？　「この野郎！　どうしてくれるんだ！」って。それはうちの社長。うちの社長、ひどいんですよ！　所属女優に掃除させたりね、洗濯させたり。おさんどんのようなこともさせるんですよ。合宿してるのと一緒だよね。それじゃ昔のホリプロだって？

もたい　小林さんもいろいろやらされてるもんね。アッシーやらされたりとか。「迎えに来い」とかね。

小林　私なんかお酒飲まないから、いいように使われてますよね。弄《もてあそ》ばれて、捨てられていくのかしら？

もたい　あんたはいいわよ、嫁いったから。本当にさ。

小林　あ、そうだ。ええとね、本！　本、出したのよ。買った？　じーさん。私の本。

もたい　買うわけないじゃないのよ。

小林　ひっどーい。『東京１００発ガール』よ。えっ、万引きしろって？

もたい　万引きはダメだよ！　やるなよ！

小林　やっぱり怖いー！　もたいさん、ごめんなさい。

●もたいまさこさんをお迎えして

この日、もたいさんは機嫌がよくありませんでした。

あのくらいのお歳だと、いろいろと体調のすぐれない日もあるのでしょうが、まさにそんな日にゲストにおいでいただいたものだから、おっかなさに拍車がかかっておりました。

しかし、それでもさすがの喧嘩マニア。

そんな日にもかかわらず、私のわけのわからん早口のまくしたてに、まるで売られた喧嘩を買うように、ちっこい目で私をじっと見据えながら、最後まで極道もたいの姿勢を貫いてくれました。

『極道の妻たち・売られた喧嘩、買いまっせ』

ぜひ、もたいさんでひとつ、実現できないものでしょうか。

さて、もたいさんには、私生活でもかなりお世話になっております。さすがに嫁となった（アタシ）今では、以前のようにもたい宅に入りびたって、ごはんを食べさせてもらうこともめっきり少なくなりましたが、今でももたい宅に旨いものがどこかから送られてきたりすると、一声かけてくれ、そうすると私もホイホイと寄らせてもらって、ブツをもらってさっさと立ち去ったりしております。

たまには小遣いもくれます。

ホントに爺さんみたいです。

そういえば、いつも首にはタオルをまいています。どこかの銀行でもらったやつ。

そして、爺さんは冷房が嫌いです。

はやく孫の顔でも見せてあげたいものです。

別所哲也の㊀巻

小林　どーも。別所さんお久しぶり。

別所　どーも。

小林　別所っていえばスカしたイメージですよね。細川さんか別所かっていう。

別所　それは違うぞ。

小林　ベルトルッチ別所って感じ（番組の冒頭で映画『不滅の恋』の宣伝で詩を朗読する別所の、スカしたテープが流れた）。

別所　お黙り！

小林　はい、ごめんなさい。そう、私たちの出会いは、この（ＢＧＭでかかっている）ザ・ピーナッツが歌ってるように、『ゴジラVSモスラ』っていうすごい名作での共演だったんですよね。そして、私はあなたの妻だったのよね、別れた。で、子供がいたの、私。

別所　そう、子供がいた。可愛くない子。

小林　可愛くなかったのよね、あれ。本当、うるさかったよね。ハイビジョンかなんかで撮ったんだよね。特撮のところ。で、子供の髭が写るからとかいって、髭を剃《そ》れとかなんとか。大変だったですよ、あれ本当にねぇ。

別所　本当……しっかりしすぎているっていうか……。

小林　でもこの番組、東京やってないから大丈夫よ、いろいろ好きなこと言って。それから、私、一回あなたの家に遊びに行ったことがあるわ。

別所　来ましたね。

小林　ええ。楽しかった。

別所　カレー食いに来たんじゃなかったっけ？

小林　……もっとさ、なんかいろいろ延ばして意味深にしようと思ったのに。カレー食いに来たって、あなた。炭火カレーだったんだよね、あれ。別所が作ったんだよね。ふたつ作ってさ、一個は焦げて。本当に炭火カレーになっちゃってさ。

別所　よく覚えてるねぇ。

小林　そうだ、思い出した。なんでも別所さんがスタジオにいらっしゃる時は、いつもロイヤルミルクティーをお飲みになるらしいじゃない。どういうことなの？　それ。ミルクティーっていうのは。スカした男ね、あんた。どういうつもり？

別所　まずね、最初はミルクティー飲まないとね。

小林　そんなメガネの平目《ひらめ》ヅラで言われてもさ、あなた。

別所　恐ろしい。放っといてくれよ！

小林　言ったが勝ちよ、この番組は。どんどん攻めるわよ！　ええと、ここに別所さんの履歴書があります。これ、すごいですね、履歴書。

別所　履歴書ってプロフィールでしょ？

小林　だって、履歴書って書いてあるもん。なんでこれ、履歴書なんですか？　どっかに就職するっていう、なんかそういう感じですよね。まずは身長……百八十五センチ。

別所　百八十六です。間違えてるんです。

小林　百八十六？　なんで一センチぐらいこだわるの？

別所　違う、伸びたんだってば。百八十六です。大学の時一センチ伸びたんだよ。

小林　体重は六十八・五ってあるけど。

別所　あ、うそ。うそうそ。

小林　あんたぁ、もう。何キロあるの？　今。七十二キロぐらいあるでしょ？

別所　もっとある。

小林　これ書き換えたほうがいいんじゃないですか？　六十八・五なんて。ガリガリだよ。

別所　だってこれ、最初に作った時から嘘だったんだもん。

小林　やっだぁー、芸能界って。

別所　その時七十二キロだったんだけど、今は七十六キロ。

小林　ねえ、そのさ、体重をすくなくみせるとなんの意味があるわけ？『ファンタスティックス』のマット役の頃ね、ガリガリだったのは。でもさ、すごいよ、別所。私、これバーッと見たらさ、外人役が多いね。マット、ポール、アレクサンドル・デュマJr、アルベール、アンディ。

別所　やっぱり洋物に向くんじゃないの？

小林　まあ、自分でヌケヌケと。恐ろしい……。なんかでも今度、時代劇やるんでしょ？（日本テレビの『竜馬におまかせ！』脚本は三谷幸喜氏）

別所　俺、本当に時代劇はね、本当のこと言います、嫌いなんですよ。

小林　私もよ。だってかつら嫌だもんね。着物は面倒臭いしさ。

別所　かつらねぇ。聡美ちゃんのかつら似合わなそう。

小林　別所だってあなた、人のこと言えないじゃん、かつら。ちょっとデコ見せてごらんよ。

別所　俺けっこう広いよ。前、時代劇に出た時にね、ズラでさ、羽二重《はぶたえ》ってあるじゃない。そのあとつるって知ってる？　こうやって目をカッコよくするために、みなさんつってんだって。

小林　ああ、ああ、男の人はね。

別所　特に俺タレ目じゃない。だからさ、つってもらうんだけど。俺、四つもつったんだよ。こーんな顔になっちゃって。誰だかわかんなくなっちゃって。

小林　人相が変わっちゃうじゃん。

別所　今度はそういうことは、しないようにしようと思ってんですけどね。タレ目のままでやってみようかなって。

小林　別所ってさ、あれだよね、ミスコンの司会とか似合いそうだよね。前から思ってたんだけど。「エントリーナンバー5　タナカユミコさん。趣味はテニス」とかさ。

別所　「ミス・ユニバースは……」とか。

小林　いつかやってほしいと思ってるのよ、私。

別所　でも俺、それに欠けてるのは、もう少し声が低くないと、ああいうのってさ。

小林　大丈夫よね、ぜんぜん。いい声してらっしゃるわよ。あなたの歌も聴いたことあるし。

別所 ここで言っとくと、けっこう本当に司会の話くるかもしれないからね。

小林 でも、東京流れないから、これ。だから聞いちゃうけど、その後どう？　彼女できた？

別所 それはそれなりにね。いろいろ。

小林 じゃあ、別所、入籍したって本当？

別所 え？　おめぇ……。

小林 さあ、どんどん進行しましょうね。突然ですが、これから私が別所さんに質問をしますよ。いいですか？　別所哲也の初恋の少女の名は？

別所 俺の初恋の少女の名？　ヒトミちゃん。

小林 ヒトミ？　それって高橋ひとみ？　あんたたちやっぱりそうだったの？　どうりで仲が良いと思ったわ。

別所 俺は高橋ひとみちゃんとは犬仲間だから。

小林 なに？　犬仲間って。

別所　ひとみちゃんも犬飼ってんだよ。

小林　でも、ひとみちゃんね、「私ほど犬の散歩してる芸能人はいない」って言ってたよ。もう毎日、朝、昼、晩やってるらしいよ。

別所　毎日してるみたいね。そのひとみちゃんじゃないです。

小林　じゃあ、何ヒトミちゃん？

別所　それは言えません。ヒトミ・Tと言っとこう。

小林　高橋ひとみだぁ！

別所　でも、高橋じゃない。

小林　ヒューヒュー！　では次。身体のなかで自慢できる部分はどこ？

別所　俺の身体のなかで？……すべて。

小林　わぉ、身体のなかで自慢できる部分は身体全部？

別所　どこだと思う？　ひとみちゃん。あ、ひとみちゃんじゃねぇや。

小林　ああ！　やっぱり！　ひとみちゃん。けっこうダメージきてる？

別所　いやいや、どこだと思う？　聡ちゃん。

小林　そうね、やっぱり身長の割に体重が少ないってことかしら？

別所　いや、俺、悪いけど今七十六。

小林　でも、痩せてるよね、相変わらず。

別所　最近、ちょっとヤバいんだよね。

小林　腹きた？

別所　うん。事務所の社長がちょっとうるさいね。

小林　私もよ。これでもかって。

別所　放っといてほしいよな。

小林　身体丈夫だからいいじゃないかってね、本当にさ。それから、小林聡美はあなたにとって何？

別所　小林聡美？　なんだろうなぁ？　友達かな。ちょっと、一瞬なんかあったかもしれないけどね。

小林　まあ、一緒に水の中に落っこちたりしたよね。

別所　プール入ったじゃん、東宝の。変なプール飛び込んだじゃん。

小林　もう、すごいですよ。東宝のプールでね、私たち特殊撮影やったのよね。ぜひあの、私と別所さんの共演を見たい方は、レンタルビデオで『ゴジラVSモスラ』借りてください。

別所　小林恥美って書いてあるよね。

小林　でも、このあいだ回収して小林聡美に直ってるらしいよ。

別所　偉いね。

小林　でも、ここ二年ぐらい直ってなかったよね。

別所　いいじゃん、小林耽美《たんび》より。

小林　なんかお笑いのようなセクシーのような、なんかいい感じですねぇ。
　では次。今の生活を色にたとえると？

別所　うーん？　青かなぁ？

小林　それはどういうこと？　ブルー入ってるってことですか？

別所　いや、べつにそうじゃないけど、青い感じかなぁと思って。

小林　おケツが青いって感じ？　蒙古《もうこ》斑《はん》野郎ってこと？

別所　聡ちゃんはどう？

小林　私はバラ色よ。

別所　んもう、キッチリ言う人だな。

小林　普段は別所って何やってんの？

別所　犬と遊んだり、パソコンやってる。インターネットとか。パソコンやろうよ。パソコン買ってよ。そしたらEメール送るからさ。

小林　ねえ、インターネットってなんなのよ。

別所　インターネットっていうのは、コンピューターに電話の回線つないで、いろいろ世界中のそういう、ワールドワイドウェッブっていうのがあるんだけど、そういうので……。

小林　ウェッブって何？

別所　蜘蛛の巣。蜘蛛の巣みたいにいろんなとこに広がっていて、どこからでも入り込んでいろんな情報をとってこれるんだよ。

小林　なるほど、へぇー。思うんだけどさ、そんな情報とってどうすんの？

別所　面白いよ。情報っつったってさ、今、例えば『X-ファイル』ってやってるじゃん。ああいうのとかのホームページっていうのがあって、そこでこれからのストーリーの展開とか、新しくできるシリーズのコーナーとか。ファンだったらメッセージを送れたりとか。

小林　送れるの？　外人に？　外人にって、鎖国の時代じゃないんだから。

別所　今ならさ、日本語で書いて英語に翻訳してくれるソフトもあるんだよ。

小林　エエーッ!?　便利、それ。

別所　だから、はまっちゃった。とりあえず最初は、「嫌だな、コンピュータ－オタクみたいで」と思ったんだけど、けっこうやりだしたら楽しい。

小林　でも、それってすごく時間経つの早いでしょ。いいんですか？　そんな暇で。それ現場に持ってってんの？

別所　電話ジャック外しちゃってさ。

小林　島耕作みたい。

別所　違う違う。電話代を浮かせてんの。

小林　ケチくさいっ！

別所　それが凝ってることかな。聡ちゃんは？

小林　凝ってること？　家具探しかなぁ？

別所　個人輸入したら？

小林　やってるわ。

別所　あ、そうか。そうだ、『東京１００発ガール』に書いてあった。

小林　あなた、やってる？　カタログショッピング。

別所　時々やってるねぇ、ランズエンドとか。アウトドアの、エディバウアーみたいなやつ。

小林　でも、家具ってさ、本当に来るのかな？　あれ。

別所　来るよ来るよ。俺やったもん、一回。ソファ。ホント、来る来る。

小林　ソファ？　あんなでかいもの？

別所　三カ月かかるけどね。でも、半額だよ、やっぱり。半額以下。こっちで五十万ぐらいするものでも。

小林　すごい庶民的な話になってる。そんな凝ってるの？

別所　聡ちゃんほどじゃないと思う、カタログショッピングは。

小林　はいはい、どうも。なんかパソコンとかもさ、やってみたいなと思うんだけどさ。仲間もいないし。

別所　本書いてるんだから。

小林　もうね、本は私、筆を折ったの。

別所　そんな、筒井さんのようなこと言って。

小林　だって大変なんだもん、本書くの。別所、本書かないの？

別所　僕はそんな才能ありません。

小林　なに言ってんの。こんなさ、あなた、ピアノは弾くわ踊るわ歌うわ。もうバレーボールはするわバスケットはするわサッカーはするわ水泳はするわ普通運転免許は持ってるわ。あなた、怖いものないでしょ？

別所　まあ、そんなにはね。

小林　恐ろしい。

別所　これさ、声だけ聴いてる人は「別所っていうのはどういうやつなんだよ」と思ってんじゃないの？

小林　今日はメガネかけて平日ですからね、本当にもう。

別所　コンタクト？

小林　そうよ。使い捨てにしたの。毎日毎日。

別所　じゃあ『東京100発ガール』に書いてあった一週間連続装用のコンタクトから成長して、変わっちゃったってこと？　人生が。

小林　そうよ。流れる水は腐らない。人は常に動き続けなきゃいけないってことよ。これ私の座右の銘、別所は？

別所　あんまないんだよね、俺。はっきり言って。なんだろう？

小林　「男はスカしてこそ男」？

別所　なんだろうね？　「海千山千」

小林　このスカした別所さんからそんな。

別所　「人生山あり谷あり」

小林　ぜんぜん意味違うよ、「海千山千」と、あなた。どっち？　「山あり谷あり」？

別所　「海千山千」かな？

小林　それはどうして？

別所　どうだかわかんないからね。でも、悪い意味なんだよね、「海千山千」って。なんかちょっとさ、コショコショコショコショコショ生きてるみたいな。

小林　ピッタリですね、別所さんに。

別所　恐ろしい。

小林　本当に頑張ってね。ミスコンの司会も期待してます。

別所　その時はふたりでやりましょうか？

小林　ええー!?　恥ずかしい。バルコニータイプのブラして胸にこういうふうに谷間つくって行こうかしら。

●別所哲也さんをお迎えして

お久しぶりの対面、とてもうれしゅうございました。そして懐かしのメガネ平目ヅラ。ホントにド近。

スカしてる、スカしてる、といつもいじめてごめんなさい。

しかしながら、歌って、踊って、英語喋って、ピアノ弾いて、慶応出て、身長は高いわ、収入はあるわで、これだけ見たら、どんなスカしたヤツかと懸念されるのは当然のことかと思われます（私はテレビ見てスカしてると思ったけど）。

実際の別所は、ものマネがうまい（忘れないわよ。アレよ、アレ）、おかしいヤツです。そして、きっと、とても努力家なのだと思います。こんなに特技があるのは、尋常ではありません。

そんな真面目な別所を、ついついいじめたくなってしまうのは、仕方のないことです。

そして、歳が同じなせいか、別所とは、なんだか高校時代の同級生（大学時代の、なんて図々しいこたぁ言いません）みたいな感覚を持っています。頻繁に連絡を取り合っているわけでもないけれど、久しぶりに会うと話が弾む。

そして、たまに、

「幸せでいるだろうか」

などと、まるで故郷のオヤジのように、心のどこかで、ふと気にかけてしまう、そんな愛《いと》しい別所なのです。

で、どうなの？　幸せにしてるの？　え？

群ようこの巻

小林　ええ、本日はちびっこ小林聡美以下、未熟なスタッフ一同、人生のお勉強をさせていただこうと、ゲストをお迎えしております。作家の群ようこ大先生です。リスナーのみな様は姿勢を正して聴くように。でも、ちなみに群さんもちびっこよ。本当に今日は群さんね、お忙しいのにありがとうございました。

群　いいえ、どうも、こちらこそ。

小林　あの、ちなみにあそこに非常用携帯ミニトイレがありますので。

群　何かな？　って思ってたの、あれ。

小林　放送中になにかあの、事件があればあれをちょっと。

群　さしさわりがあれば。わかりました。

小林　とりあえずゲストの方には、最初にまずお知らせするようにって遠藤さまから言われてますので。今までのゲストはみんな、トイレ使って帰りました。

群　あら。桃井さんも別所さんも？

小林　ええ。かおりさん「やぁだぁ、面白いじゃない、これ。持って帰っていい？」って言って、持って帰りました。

群　別所さんは？

小林　別所さんは「僕はこんなとこでできないな。とりあえずロイヤルミルクティー」と言ってました。

群　なるほど。わかりました。

小林　さあ、えぇとね、本日はね、お忙しいところを。だってあんたね、……あんたねって群さんに言ってんじゃないですよ。

群　あんた林家三平みたい。

小林　あんた、忙しいよ、群さん。来てくれたんだよ、本当に、これ。みんな聴いてよ。今日もお仕事してたんでしょ？

群　してない。

小林　ええ？　どういうこっちゃ！　してないんですか？　今日はもう、この番組のために？

群　そう。もう賭けてるの。

小林　ダンベル体操で身体を鍛え、体脂肪率減らして、脂肪を燃やして、それでやってきていただいたと。

群　はい。

小林　本当に素人なもんで、『徹子の部屋』みたいにね、あんな真面目な話とかできないんですけど、すみませんがよろしくお願いします。

群　とんでもないです。

小林　まず健康についてお聞きします。群さんは、本当に世田谷区の羽根木じゅうの誰もが知ってるという健康オタクということですけど。群さんの歩いた跡には健康死亡率がどんどん……。

群　健康死亡率？　死んでどうする？

小林　脂肪がどんどん道に飛び散って、群さんがどこを歩いたかわかるっていう、大変な噂ですよね。羽根木で特に松亀フルーツなんか、群さんの体脂肪率がどんどん下がってるっていうのを、毎週、視聴率のように貼り出していそうですけど。ちなみに今日の脂肪率は？

群　二十三ぐらいだと思います。減らしましたから。

小林　みんな知ってる？　脂肪率と体重が一緒に測れる体重計があるんですよね。それ、群さん家《ち》にもあるんですよね？

群　ううん。もたいさん家にあるから、いない時にも無理矢理行って測ってんの。勝手に鍵開けて。

小林　もたいさんと群さん、隣同士なんです、家が。で、うちの社長も羽根木に住んでんで、すっごい怖い、羽根木。だから私、あんまり近寄らないようにしてんですよ。まあ、はい。それはそれとして。最近、凝ってるグッズってないですか？　健康グッズ。そもそもなんでそんなに健康オタクなんでしょうね？

群　あのね、医者と薬が嫌いなの。だから、自分で管理するしかないじゃないですか。だって、薬のむとね、よけいひどくなるの。

小林　効きすぎるんですかね？　グッタリしちゃうんだ。眠くなったりとか。

群　だからね、普通の胃薬なんかでも、半分でも多いぐらいなの。

小林　それって、身体がちびっこだからじゃないですか？

群　あぁらぁ。聡美ちゃんはどうなってるの？

小林　私もほぼ一緒。群さん、でも身長百五十二とか三とかそれぐらいですか？

群　一とか二とか、そんなもんだと思う。もたいさんより一センチぐらい低いんじゃないかな、私。

小林　でも、群さんバランスいいよね、もたいさんに比べて。もたいさんなんか、上から俯瞰《ふかん》で撮ってるみたいな。正面から見ても俯瞰みたいな。

群　もたいさんは身体が細いからよ。私、身体太いからさ。

小林　でも、群さんのほうが顔小さいよね。じーさん、上から俯瞰した感じでね、正面で見てても。しつこい？　ごめんなさーい。で、健康グッズといえば何に凝ってらっしゃる？　という。

群　やっぱり、今のポイントは足の裏でしょうね。

小林　ツボとか押したり？

群　そうそう。だからあの、ツボをグイグイ押す棒と、あとフットローラーですか？　足の裏をグルグルやる。

小林　通信販売で私も買いましたよ、群さん。いいって言われて。

群　あれの二本立てですね。

小林　二本立て。うつみ宮土理さんもやってますよね？　足の裏カチンカチン体操って。

群　カチンカチン体操ね。

小林　いろいろ押すんでしょ？　ペンとかでツボを。

群　で、あとなんかストレッチですよね、あの方のはね。

小林　はぁー、読んでますね、さすがに。

群　でもね、あれは試さなかった。胡散《うさん》臭かったから。

小林　怖いです、群先生。本当に怖いですよ。みんな心して聴くように。うつみ宮土理さんが胡散臭いと？

群　いえいえ。でも私、ギャルソンでお見かけした時、テレビより暗い感じの人だなと思ったけど。

小林　怖ーい。

群　なんか法事の帰りだとか言ってね、ちょっと暗かった。

小林　ちょっと暗いけど胡散臭い。怖いですね。（うつみさんが）コム・デ・ギャルソンで買い物してたの？　だって、あの方シャネルじゃないんですか？

群　ギャルソンにもいらしてたわよ。

小林　あそこって、本当、芸能人いっぱいいるから困りますよね。必ず誰かに会う。私、なぜか一色紗英ちゃんばかり三回ぐらい見かけたことありますよ。だから、怖いからね、あんまり近寄らないように。通信販売してくれないかな？

群　でも私、芸能人いっぱい見られるからうれしいの。

小林　東京の青山のコム・デ・ギャルソン本店です！　一応、（この番組）東京流れてないから、地方の方にお知らせします。東京来たおりには、青山の本店に行くと芸能人に会えます。そんなべつにうれしかないですよね、今さらね。そうですか、足の裏。

群　はい。

小林　あとは？　ご自分ではダンベル体操にも凝ってるって言ってたじゃないですか。

群　あれはね、体脂肪率が減るとね、やらないの。面倒臭いから、毎日やるのが。

小林　調整しながらってやつですか。でも、スポーツクラブっていうのは嫌なんでしょ？

群　あんまり好きじゃないの。

小林　でも、群さん普段からよく歩いてらっしゃるから。

群　歩くのは歩くからね。そう、車に乗らないからね。

小林　万歩計あったら、五万歩ぐらい一日で歩いてるんじゃないですか？

群　五万歩っていったら、五時間歩くことになるから、そんなには歩いてないよ。

小林　一時間で一万歩？

群　私のペースで。このあいだね、聡美ちゃん家のほうまで歩いたんだよ。

小林　すごいですよね。だって一時間？

群　一時間以上歩いた。中央図書館に行くのに歩いてって、「あら？　ここ、聡美ちゃんのお住まいかしら？」と思いながら横を通ったの。横の道を。

小林　ひぇー。私ね、一回ね、自分の家から事務所のある羽根木まで歩いてったらね、行きで疲れて帰れなかったんですよ。膝がね、もう痛くなっちゃって。しばらくね、横になって。事務所で病人のように横たわって、それでなんとか帰った。

群　私、あのくらいの往復、ぜんぜんＯＫ。

小林　群さん本当、がっちりしてますもんね。

群　もうね、足腰はすごいよ。自慢じゃないけど。

小林　そういえば群さんといえば、卓球ですよね。愛ちゃんか群さんかって。

群　一度こてんぱんに負かしてやりたいと思うんだけど。

小林　ひえーっ!!　夢の対決。

群　でも、ぜんぜん強いの、向こうが。

小林　でも、あれですね、群さんの場合は健康は、べつに金はかかんないみたいですね。歩く、ツボを押す。

群　はい。

小林　そして、たまにカラオケでウィンクを歌う。

群　カラオケぜんぜんやってない。

小林　このあいだね、このあいだっていっても、もう何年も前ですけど、ふたりで狩人の『あずさ2号』歌ったっきりですね。

群　そうそう、大阪でね。

小林　さて続いてのテーマは若い性。怖いー。あの、群さんはどうですか？性のほうは。

群　性のほう？　とんとご無沙汰ですよ。

小林　もう、ストレートすぎるんだよ、おまえは。いや、おまえって群先生のことじゃないですよ。あたいのことですよ。全国のみなさん。ええと、とんとご無沙汰だと。だって好きよ好きよも嫌いのうち。いやいや、いやいや、違うよ。嫌よ嫌よも好きのうち。恋は死ななきゃ直らない。恋をするほど艶が出るって畠山みどりさんが。

群　なるほどね。

小林　どうですか？

群　パッサパサ。

小林　なんか、理想が高いとか、興味がないのかしら？

群　興味がないことはないよ。でも、誰でもいいってわけじゃないからね。あのね、私の知り合いでね、自分のことを好きになってくれる人はみんな好きになっちゃうって人がいるんだよね。

小林　自分のことを好きになってくれる人を？

群　好きになっちゃうんだって。でも、私、そこから選んじゃうんだよね。

小林　好きになってはくれても。

群　ごめんねって。

小林　まあね、選ばないことにはねぇ。

群　と思うんだけどね。私がそういうふうに言ったらね、「あら、あなたは選んでるからよ」って。

小林　そりゃ、選ばなきゃダメですよね。

群　ね。私もそう思うのよ。

小林　わかった。じゃあ厳しいんだ、群さん。なんかいろいろと。そうよ。ちなみに東西を問わず、群さんの好きなアイドルって誰ですか？　昔から「いいわ、この人」って人。

群　子供の時は山本学さんが好きだったの。細面《ほそおもて》の人が好きなんですよ。丸いから、自分が。

小林　歳は？　歳はどうでもいい？

群　どうでもいいけど、あんまりジジイは嫌。

小林　群さん、だって、自分は？

群　ジジイっつったって、六十は嫌だよ、やっぱり。

小林　それはね。まあ、同じ歳ぐらいの人か。

群　同じ歳はね、あんまり魅力的なのがいない。私のこと、怖がってみんな逃げるからさ。

小林　だって怖いもん、群さん。「愛ちゃんこてんぱんにする」とかさ。

群　親がちゃんと教えないとダメだよ、泣かないように。

小林　泣きすぎだね、でもね……。

群　泣きすぎ！

小林　いや、怖ーい。もとい、あ、そう、魅力的なやつがいない？

群　男のほうも「おまえに言われたかない」って言うと思うんだけどね。

小林　群さんみたいな人は、はまったらね、そうとう楽しい人ですよね。はまんなかったら最高怖いけどさ。

群　はまりかけたところで怖がられる。

小林　でも、ほら、群さんが出したこの『人生勉強』という本のなかには、群先生はなんと、付き合ってきた男性を一度も家に泊めたことがないとあるんですが、それはなぜ？　なぜ泊めたことがない？

群　だって「帰る」って言うから。

小林　怖いのかな？　説教されそうで。

群　説教なんかしないよお。帰るって言うから、私は本人の自主性に任せてる。「わかった。じゃあね、さよなら」って。

小林　そうだよね。「帰んないで」って言って居られて、なんかサービスしないとムッとされたりしたら嫌ですもんね。こっちの落度だからね。「お茶が出ない」とかさ、「肩を揉《も》め」とか言われて「嫌だ」とか言ったら、「なんだよ、おまえが泊まれって言ったんじゃねぇかよ」とか言われたらね。

群　大きな顔されたかないわよね。で、そのまま居座っちゃったっていう話、山ほど聞くじゃない。

小林　でもね、「泊まってけば？」って言うのが普通だって、うちの社長が言ってるんですけど。

群　あら、そうなの？　あら、「泊まってけば？」って言うの？

小林　うちの社長ね、昔の人なんですよ。だって、旦那の財布を見てね、「あら、お金がないわ」っていう時ね、補充してやれって言うの、財布の中身。私とかは、財布とか見るとほら。

群　個人のプライバシーだから。

小林　と思うんだけど。昔の人だからね、いつもチェックしてね、「お金がないっていうのはね、妻の恥なのよ」って、うるさいんですよ。

群　私、抜き取ることはあると思うけど、入れることはないと思うわ。

小林　怖ーい。怖いー、怖いー。そうですか。じゃあ、あれですか？　今まで泊まったこともない？

群　ない。聡美ちゃんはみんな泊めたの？

小林　いや、みんなは泊めないですけど、まあ。

群　今はだってね、ほら、もう。

小林　晴れて夫婦になったからね、べつに。

群　その前は？

小林　え？

群　その前は？

小林　……さあ！　えぇ、ということで、なんとも人生の勉強になります。このね、人生の参考になりますエピソードがこの『人生勉強』のなかにはたくさん出ていまーす。さあ、そろそろ時間ということで、本日のゲストは作家の群ようこさんでしたが。最後に座右の銘というものを聞かせていただきましょう。さあ、みなさん、正座。なんでしょう？

群　明日できることは今日やるな。

小林　んー、それはね、うちの夫もそうです。明日できることは、今日やるな。やっぱ作家さんとかはそうなんだね。もう、今が精一杯。明日できることは今日やるなと、そういうことですね。

群ようこさんをお迎えして

おそれ多いことではありますが、私たちふたりはよく似ていると、周りの共通の友人たちに指摘されることがありました。

しかし、いったい、どこがどう似ているものやら皆目見当がつきませんでした。ちびっこ加減は確かに似てはいますが。

それが、あなた、どうでしょう。

こうして文字になってみると、パキパキパキパキパキパキしていませんか、ふたりして。

これだけペラペラ喋っていて言うのもなんなのですが、話しベタな私は、天下の長者どん、群さんにインタビューをせねばならんという立場ゆえ、必死に会話を進行してはいますが、あの群さんの答え方。まるで私です。いや、あれほどおっかなくないけれど。群さん、おっかないですねー。もたいさんも真っ青ですねー。

イエスかノーか。好きか嫌いか。

じつにまどろっこしくないです。竹を割ったというか、竹も無視して通り過ぎる、といった性分とでも言いましょうか。

そして、あらためて読んでみると、群さんと私、なんだか紙上漫才をやっているようではないですか。私がボケで、群さんがつっこみ。群さん、おもいっきりつっこんでいます。

ちびっこ漫才。テンポがとてもいい。

カラオケのデュエットもいいですが、こんど、漫才の稽古をするというのはどうでしょうか。でも、

「稽古して、それでどこで披露するわけ、聡美ちゃん」

と、キッパリ言われそうです。怖ーい。

RADIO STAFF

★

TBSラジオ編成／鶴岡滋之
プロデューサー／米本正嗣（テレコムサウンズ）
ディレクター／遠藤宏美（テレコムサウンズ）
テクニカル・ディレクター／渡辺和昭（テレコムサウンズ）
アシスタント・ディレクター／伊藤慶昭（テレコムサウンズ）
構成／政宗史子

SPECIAL THANKS

★

アトリエ悦／シャシャコーポレイション／マザーシップ

本文デザイン

★

幻冬舎デザイン室

解説

町山広美

再放送の法則というのがある。ごくごくまれにしか見ていなかった連続ドラマが再放送されているとき。たまたまそのチャンネルで立ち止まって見る気もなく流しっぱなしにしておくと、何かのきっかけでそれが以前に見たことのある回だったと気づく。そういう経験はないだろうか。全十一話のドラマの第三話しか見てないのに、その回だけ二度見てしまう。七百話以上放送された『太陽にほえろ!』の後期、マイコン刑事こと石原良純が登場してからはほとんど見ていないはずなのに、十年もたってから再放送でまた同じ、マイコンが犯人をとり逃す回を見てしまう。そして、マイコンはまぬけだと心の学習机に再び刻みつけるのだ。いよいよ深く。

再放送の法則と仮に名づけたこの現象の存在については、多くの賛同を得られると思う。不思議な偶然は私のような疑り深い人間にも、神の導きや運命が確かに、ちょっと近くのコンビニに行くほどの気軽さで存在することを、リーズナブルに示しているかのようだ。

そういうわけで、小林聡美さんがインドを訪れインド映画のダンス・シーンに挑戦するというスペシャル番組を、私は本放送と再放送で二回見た。二回とも日曜の夕方より少し前、あまりテレビを見る習慣がない時間帯に放送されたにもかかわらず、見たのである。運命だと思う。

二回めでもやっぱり、インド映画独特のこってりしたダンスをこなす小林さんは面白かった。現場でつくられた複雑な振付をすぐさま覚えてそのまま本番になだれこむという、豪快にして強引な撮影システムについていくだけでも素晴らしいが、それだけではない。エキストラを引き連れ恋の駆け引きを全身で表現する、大げさがてんこもりのダンス・シーン。そんなメイド・イン・インドなばかばかしさに、メイド・イン・コバヤシなばかばかしさをもう一滴加えてみせるのだ。もとの振付よりも、ほんの少し余計にアゴを突き出す。動きのタメを少しだけ長くする。ほんの少しのデフォルメが、面白さの輪郭を鮮明にしていた。

底意地が悪いのだろう。ちょうどいい湯加減のデフォルメをするには、批評眼とか、物事を相対化してとらえる視点だとか、そういうものが欠かせない。あたたかい目でなりゆきを見守るのとは、まったく逆の態度こそが望ましい。だから、小林さんの底意地は悪くないわけがない。子役時代から芸能界に出入りしてるんだもの、そりゃ当然でしょう。

ところが、目の前でお茶をする小林さんに底意地の悪さは感じられなかった。パーティーの流れなどで三度ほど、食事やらカラオケやらをご一緒する機会を得たが、そのたたずまいには「娘さんらしさ」があった。おねえちゃんでもギャルでも、ましてやオバサンでもなく。はつらつとしているがけたたましさはなく、気取らないが馴れ馴れしくもない。カラオケでドリカムや昔の歌謡曲をえらく上手に歌っていても、同席する酔っぱらいからほかの芸能人の悪口が飛びかう間に挟まれていても、具合がよろしい。出しゃばらずに程良く参加するその頃あいが、小林さんったらとってもいい感じ。

しかし、感じいいというだけで済む人のはずがない。

やはり日曜の昼過ぎに見た、小林さんが女優・ボボイ（本文参照）かおりとともに韓国を旅する番組。私はこの番組ほど、女優・ボボイかおりを凝縮したかたちで視聴者に提供できた例を知らない。小林さんの仕業だ。例えば、いかにも眠そうな女優・ボボイかおりと清々しい表情の小林さんとの、朝の会話はこんな感じ。「んもぉなんでそんな元気なのよぉ。ちょっとあんたぁ、いつも何時に起きてんのぉ」「このぐらいの時間には普通に起きてますよ」「や〜ねぇ、女優は午前中になんか起きちゃダメよぉ」「じゃ先輩は何時なんスか？」「……四時くらいぃ？（半疑問形）」。音と音がべたつく先輩のけだるいしゃべりと、ぱきぱきと滑舌よく言葉を返す後輩の超早口は、まさに好対照。後輩が得意のものまねでニセ・ボボイを登場させると、リアル・ボボイのアタシらしさもパワーアップしセルフ・パロディさながらの様相に。女優・ボボイかおりのキャラクターがくっきり浮かびあがり、私などはその特有のケレン味を再発見させられる思いがした。これもまた小林さんに、批評とか相対化とか呼ばれる類いの能力が備わっていてこそ成せるわざだ。

だから、底意地は悪いはずなのである。

あらためて、ご一緒したときのことを思い出してみる。三度とも、居合わせた人のなかで小林さんが一番年下だった。もたい爺さんや社長（ともに本文参照）がいて、それ以外も、酒をしこたまくらって倒れるように寝たかと思うと起きてゲロ吐いてまた飲み出すような女ばかり。背景が澱みきっていたせいで、私はひとつ年下の小林さんから「娘らしさ」を感じてしまったのかもしれない。判断基準が正しくなかった。隣で社長が暴れていたのでは、善悪どころか性別すらも判断が怪しくなるのは当然だろう。私の記憶する社長は、ブラスバンド部所属の男子中学生のような髪型で、黒ぶちの眼鏡をかけて柄ものの開襟シャツをダボッと着た、あんちゃんだ。しかもそのあんちゃんは顔を覚えてくれず、三度めに会ったときは「うどん持ってきて」「飲み物オーダーして」と誰だかわからない私を便利に使い、帰り際に「あれ、あんた町山さんだったのか」と言って豪快に笑った。あんな状態では、判断がくるう。マイルドセブンの箱を隣に並べても、名子役えなりかずきの実年齢がわからないのと同じことだ。っていうか、何を基準にしてもえなりかずきはいくつだかわからんのだが。

もしかしたら、こういう効果をあらかじめ狙って、社長と行動を共にしているんじゃないのか。だったらやっぱり、小林さんは底意地が悪い。話の進め方に無理がある気もちょっとするが、ここまで書いてきてしまったのだから私も後には引けない。身勝手に聞こえるだろうが、その通りだ。

今度お会いする機会があったら、小林さんにはぜひとも底意地の悪さを垣間見せてもらって、安心したいものだ。年下のかわいい女優を、カンのにぶい人にはそうとはわからないような手のこんだやりかたでいびってるところなんか目撃できたら、すごく嬉しい。

——構成作家

この作品は一九九六年九月小社より刊行されたものです。

案《あん》じるより団子汁《だんごじる》

小林聡美《こばやしさとみ》

平成12年4月25日　初版発行
発行者――見城　徹
発行所――株式会社幻冬舎
〒151-0051東京都渋谷区千駄ヶ谷4-9-7
電話　03(5411)6222(営業部)
　　　03(5411)6211(編集部)
　　　振替00120-8-767643
印刷・製本―株式会社　光邦
装丁者――高橋雅之

幻冬舎文庫

ISBN4-87728-858-9　C0195　こ-1-4